L'auberge maudite

L'auberge maudite

Linda Cargill

Traduit de l'anglais par
Martine Perriau

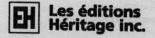
Les éditions
Héritage inc.

Données de catalogage avant publication (Canada)

Cargill, Linda

L'auberge maudite

(Cauchemars)
Traduction de : Pool party.
Pour les jeunes de 14 ans et plus.

ISBN 2-7625-8762-X

I. Perriau, Martine. II. Titre. III. Collection.

PZ23.C37Au 1997   j813'.54   C97-941012-6

Pool Party
Copyright © 1996 Linda Cargill - All rights reserved
Publié après arrangements avec Scholastic Inc.

Version française
© Les éditions Héritage inc. 1997
Tous droits réservés

Conception graphique de la couverture : Michel Têtu
Infographie de la couverture : François Trottier
Graphisme et mise en page : Jean-Marc Gélineau

Dépôts légaux : 3e trimestre 1997
Bibliothèque nationale du Québec
Bibliothèque nationale du Canada

ISBN : 2-7625-8762-X   Imprimé au Canada

LES ÉDITIONS HÉRITAGE INC.
300, rue Arran, Saint-Lambert (Québec) J4R 1K5
Téléphone : (514) 875-0327
Télécopieur : (514) 672-5448
Courrier électronique : heritage@mlink.net

À Leo, qui m'a invitée à mon premier party autour d'une piscine, et à mes parents, Alice et Larry Bognar, qui m'ont offert une piscine dans l'arrière-cour.

CHAPITRE 1

— Qu'est-ce que ça veut dire ?

Ce lundi matin, Agnès de Blois ouvre l'enveloppe à la fine doublure dorée, la laisse tomber par terre et brandit l'invitation à l'élégant lettrage or devant le visage de Stéphanie.

Cette dernière s'arrête dans le couloir, à l'extérieur de la classe, et lit :

LE FIN DU FIN ! Agnès de Blois est invitée au party qui aura lieu à la piscine de l'Océane, vendredi soir après les cours. R.S.V.P.

Stéphanie ne comprend pas. Qui se permet d'inviter des gens chez elle ?

C'est étrange, d'autant que Stéphanie prévoit effectivement organiser un *party* à la piscine vendredi soir. C'est son petit ami, Philippe, qui l'a convaincue de préparer cette soirée afin de renouer avec les élèves de dernière année. Stéphanie vient en effet de revenir de Montréal, après une année d'absence, alors que son père travaillait pour une société internationale d'import-export et que sa mère demandait le divorce. Le *party* devrait lui permettre de retrouver ses camarades.

Qui d'autre a reçu une invitation? Agnès de Blois, qui est folle des garçons et ne sort qu'avec le haut du panier, n'est pas le genre de personne qu'elle aurait souhaité inviter. Agnès se moque toujours des filles à l'allure ordinaire, comme Stéphanie, qui n'ont pas son joli visage et ses beaux cheveux blonds semblables à ceux de Cendrillon.

— Hé! Stéphanie! crie Sophie Rainville d'une voix bourrue et presque masculine en se précipitant dans le couloir, une autre de ces invitations à la tranche dorée à la main. C'est une plaisanterie?

Voilà une autre fille que Stéphanie n'a jamais fréquentée. Cynique, Sophie se moque toujours de tout le monde en passant des remarques caustiques. Personne n'échappe à sa langue acérée.

Stéphanie perçoit le regard curieux des jeunes filles. Si elle leur avoue qu'elle n'a rien à voir avec ces invitations, elles la croiront folle, répandront la nouvelle, et plus personne n'acceptera de venir à ses *partys*.

— Ce n'est pas une plaisanterie, leur répond-elle d'un ton nerveux en enroulant une mèche de ses cheveux bruns autour de son doigt. J'organise un *party* autour de la piscine, vendredi soir après les cours.

— Tu ne m'as presque jamais dit bonjour de ta vie et voilà qu'on est amies maintenant? dit Sophie en tapotant le sol de son pied.

— On est en dernière année. Si on n'apprend pas à se connaître, on ne le fera jamais, explique Stéphanie en essayant d'avoir l'air décontracté.

Elle espère voir Philippe arriver et la tirer de ce mauvais pas. Il lui a dit qu'il passerait au collège aujourd'hui. Il saura quoi faire, comme toujours.

Philippe, qui était inscrit dans un autre collège, a obtenu son diplôme l'année dernière. Il travaille maintenant à temps plein aux Services récréatifs Plif-Plaf. Il est moniteur de natation et de plongée sous-marine et responsable des programmes offerts aux enfants dans tous les hôtels de l'île aux Crabes. Stéphanie l'a rencontré à la fin de l'été après avoir quitté Daniel, son ancien petit ami.

Mais au lieu de Philippe, c'est Vanessa Montauban qu'elle voit arriver.

— Stéphanie, c'est magnifique! dit-elle

en montrant une autre invitation bordée d'or. Tu as dû dépenser une fortune! Puis-je écrire un article sur ton *party* pour le journal du collège? Ça promet d'être une merveille!

Vanessa Montauban n'a vraiment rien à voir avec son cercle d'amis. Rédactrice en chef du journal étudiant, *Le Cramoisi*, ses articles et ses études sont les seules choses qui l'intéressent.

Sophie et Agnès jaugent Vanessa d'un coup d'œil. Elles ne l'estiment pas plus que Stéphanie.

Qu'est-ce que quelqu'un essaie de faire en invitant à un *party* des personnes qui se détestent? Une blague? Stéphanie espère pouvoir le découvrir.

— Oui, je suis sûre que ma mère appréciera que tu écrives un article sur le *party* et sur l'Océane, dit-elle à Vanessa.

Sa mère a payé les droits de franchise de l'auberge l'Océane au propriétaire de la chaîne hôtelière Carignan. Elle a contracté un prêt qui lui a permis de réaménager le domaine de style victorien, les jardins luxuriants et la formidable piscine. Elle considère qu'être aubergiste est un moyen agréable de gagner sa vie.

— Ah! Je comprends! dit Sophie d'un air railleur. C'est une ruse publicitaire. Quelqu'un va apparaître en disant: «Souriez! Vous êtes à *Surprise sur prise*.»

— *Surprise sur prise*? demande Agnès, le regard étonné.

— Ne fatigue pas ta jolie tête avec ça! dit Sophie en écartant le sujet d'un geste de la main. C'est une émission qui passait à la télé.

Soulagée d'entendre sonner la cloche, Stéphanie se glisse dans la classe. Pour connaître ainsi tout le monde, le plaisantin doit être une personne de la Pointe-du-Bout. Il — ou elle — invite à son *party* des étudiants de groupes divers en sachant que Stéphanie ne peut rien faire sans passer pour folle.

Elle passe la matinée à surveiller ses camarades de classe en se demandant qui sera le prochain à brandir une invitation. Elle croise plusieurs filles avec qui elle était amie en deuxième année, mais celles-ci lui lancent des regards blessés. Elles ont manifestement entendu parler des élégantes invitations et sont offusquées de ne pas en avoir reçu.

Stéphanie en est réduite à se mordiller la lèvre.

Le midi, elle se sent trop tendue pour manger. Où est Philippe? Il devait la rencontrer à la cafétéria à midi précis.

Elle se sent suffoquer. Daniel, son ancien petit ami, s'assoit devant elle et sort une des invitations de sa poche. Elle est toute froissée, comme s'il avait voulu la jeter et s'était ravisé.

— Je croyais que tout était fini entre nous. Vrai ou faux?

Le regard sombre et perçant de Daniel rencontre le sien. Il repousse ses cheveux noirs et frisés qui lui tombent devant les yeux et tripote ses lunettes à monture métallique. Lui non plus ne touche pas à son repas.

Stéphanie est sincèrement surprise. Ils sont sortis ensemble à son retour de Montréal un peu plus tôt cet été, mais il l'a toujours tenue pour acquise. Il s'intéressait beaucoup trop à sa collection de roches et autres minerais et pas assez à elle. Pour lui, passer de bons moments, c'était partir ensemble en randonnée!

Au lieu de l'inviter au restaurant le jour de son anniversaire, Daniel l'avait emmenée faire un tour de canoë et n'avait parlé que de chevreuils et d'ours noirs. Une fois sur la terre ferme, elle avait exigé qu'il la raccompagne chez elle.

Le regard de Daniel ne la quitte pas. Elle ne sait plus où se mettre et mord sa langue. Elle doit lui dire la vérité; il saura si elle ment. Il la connaît depuis qu'ils sont hauts comme trois pommes. Et en plus, il a été choisi pour prononcer le discours d'adieu à la remise des diplômes, ce qui signifie qu'il n'est pas précisément stupide.

— M'as-tu simplement envoyé cette

invitation pour m'annoncer que je ne suis pas invité et que tout ça n'est qu'une erreur ?

— Écoute, Daniel, murmure-t-elle, un imbécile s'est amusé à envoyer ces invitations. Tu sais bien que je n'aurais jamais dépensé autant d'argent pour les faire imprimer.

— Je ne comprends pas, dit-il en fronçant les sourcils.

— Moi non plus ! ajoute-t-elle en posant la main sur le bras du jeune homme. Tout ça me rend nerveuse. Cette personne invite tous ceux et celles avec qui on ne me verrait jamais, comme Sophie, Agnès et Vanessa.

— Tiens-tu à ce que, moi, je vienne ?

Stéphanie se met à rougir et sent ses joues brûler. Elle baisse les yeux vers ses mains, les lèvres serrées.

— Je vois, dit Daniel en se levant, prêt à partir.

— Non ! attends ! dit-elle en tendant la main vers lui. Peut-être vaut-il mieux que tu viennes. J'aimerais compter sur la présence d'une personne qui connaît la vérité.

— Tu veux dire que tu n'as pas l'intention d'en parler à ce cher Philippe ?

Stéphanie ne peut croiser le regard de son ami. L'expression de Daniel s'adoucit et il serre la main de la jeune fille.

— Je viendrai.

Dix minutes avant la fin de la pause du midi, Stéphanie repère enfin Philippe qui se fraie un chemin à travers la cafétéria, une assiette de spaghetti fumant à la main. On le remarquerait n'importe où avec son teint hâlé, ses magnifiques cheveux blonds et son large sourire. Ses sandales claquent sur le plancher, et elle constate qu'il porte encore le t-shirt et le maillot qu'il met pour travailler. Le gardien du collège interdit normalement l'accès à la cafétéria ou au campus aux étrangers, mais le charme de Philippe opère comme par magie.

Stéphanie sent son pouls battre dans ses oreilles. Philippe l'a subjuguée dès le premier jour où ils se sont rencontrés. Il est tout ce que Daniel n'est pas: décontracté et romantique. Il aime s'amuser et lui faire passer des moments agréables à chacun de leurs rendez-vous. Il embrasse plutôt bien aussi. Elle, si maigre et si calme, se considère chanceuse de sortir avec un garçon comme lui.

Son cœur s'affole. Ce sourire. Mais bien sûr! Cette idée est de Philippe! C'est lui qui a envoyé les invitations. Il la surprend toujours de cette façon, il se charge de tout et fait tout à la perfection. Mais elle doit l'interroger sur sa liste d'invités.

Elle écarte sa chaise pour lui faire de la place à table. Philippe glisse doucement son bras autour de la taille de Stéphanie, l'attire contre lui et l'embrasse.

— Comment va ma chérie? demande-t-il. As-tu trouvé qui inviter à ton *party*?

— C'est plutôt à toi de me dire ça! Qu'est-ce qui t'a pris d'envoyer ces magnifiques invitations sans m'en avoir parlé?

Philippe la regarde sans comprendre et reste bouche bée, son spaghetti entortillé autour de sa fourchette.

Stéphanie sort de son sac l'invitation d'une personne qui s'est désistée.

— Tu sais bien, celles à tranche dorée, comme celle-ci.

Philippe examine de près l'invitation.

— Ça alors! Qui les a envoyées? Tu sais bien que je n'aurais jamais eu les moyens de faire ça.

— Je... j'ai pensé que tu voulais peut-être me faire une surprise, dit-elle. Elle lui explique alors qui a été invité.

Philippe semble de plus en plus étonné.

— Tu es sûre que ta mère ne les a pas envoyées?

— Maman n'a pas les moyens.

— Ce n'est peut-être pas si mal, dit-il en souriant. Ces invitations rehaussent ton image, et tout le monde voudra faire ta connaissance.

— Mais Philippe! Je ne veux pas que les gens me croient snob!

— Il faut ce qu'il faut, mon chou. Tu seras alors aussi populaire que tu mérites de l'être, ajoute-t-il en l'embrassant sur le front.

— Petite cachottière, va! s'écrie Dorine d'une voix forte en se précipitant vers elle, sa suite — Estelle, Magalie et Rachel — sur les talons. Dorine est la fille la plus riche et la plus populaire du collège.

Stéphanie retient sa respiration. Dorine domine la classe supérieure de la Pointe-du-Bout. C'est elle qui donne le ton et lance les modes. Tout le monde veut s'habiller comme elle. Elle est de tous les *partys*.

Estelle, sa meilleure amie, est présidente du conseil des finissants. Elle est presque aussi riche et séduisante que Dorine. Tous les garçons rêvent de sortir avec elle.

Magalie dirige la troupe de théâtre du collège. Fille d'actrice, elle s'habille toujours comme si elle était sur un plateau de tournage et ne sort jamais sans ses lunettes de soleil.

Quant à Rachel, la fille du maire, elle a de nombreuses relations, et tout le monde aimerait compter parmi ses amis.

— Je ne savais pas que tu organisais un *party* vendredi soir, continue Dorine. Ça semble amusant. On viendra, n'est-ce pas, les filles?

Estelle, Magalie et Rachel approuvent chacune d'un signe de tête.

— Tu as dû dépenser beaucoup d'argent pour cette soirée. Ces invitations sont des œuvres d'art, ajoute Rachel.

— Oui, dit Magalie d'une voix mélodieuse. C'est une soirée dont on se souviendra toute l'année.

— Tu peux en être sûre! dit Philippe. Cette soirée sera sans limite. Et vous avez vu ce qui est écrit sur les invitations: «LE FIN DU FIN!» Le bas de gamme n'est pas invité.

Stéphanie est étonnée de constater combien Philippe joue facilement la comédie. Mais c'est tout à fait lui. Il s'adapte à toutes les situations.

— Tu vois, mon cœur, murmure-t-il à son oreille une fois que Dorine et ses amies sont parties. D'ici la fin de l'année, tu seras élue reine du bal des finissants.

Elle aimerait éprouver une telle confiance. Si seulement elle n'avait pas cette impression que quelque chose ne va pas...

Stéphanie gardera un souvenir flou de cette semaine. Où qu'elle aille, elle entend parler du *party*. Le vendredi après-midi, elle se sent si nerveuse que Philippe l'emmène faire du voilier avant la soirée. Lorsqu'ils s'apprêtent à rentrer, elle est toujours tendue, mais elle arrive à rire.

Philippe la fait toujours rire. Il est si amusant et agréable qu'elle se demande ce qu'elle ferait sans lui.

Mais lorsqu'il la raccompagne chez elle à bord de la fourgonnette des Services récréatifs Plif-Plaf, la bonne humeur de Stéphanie disparaît. Elle trouve sa mère dans le stationnement en train de s'éponger le front et de crier après les traiteurs, vêtue de sa jupe foncée et de son chemisier blanc à manches courtes sur lequel elle a agrafé son épinglette l'identifiant comme « Madame Jacquier, directrice ».

Des traiteurs ? Pas question ! Sa mère et elle ont préparé la nourriture pour le *party* : hamburgers, hot dogs, croustilles et carrés au chocolat, le genre de choses qu'on s'attend à trouver pendant ce type de soirées.

Et il n'y a pas une, mais deux camionnettes où on peut lire : « Traiteur de luxe. Vous appelez et nous livrons dans les vingt-quatre heures ».

— Il doit y avoir une erreur, dit sa mère. Nous n'avons pas commandé cette nourriture, nous n'en avons pas les moyens. Nous n'avons ouvert l'auberge que depuis une semaine.

— Ne vous inquiétez pas, la rassure le traiteur. Tout est payé. Vous n'avez qu'à vous détendre et en profiter.

— Nous ne connaissons personne qui soit capable d'une telle chose, continue madame Jacquier.

Le traiteur lui tend une carte. Stéphanie y jette un coup d'œil par-dessus l'épaule de sa mère. Il y est effectivement écrit : «*Avec les compliments du FIN DU FIN*». La même personne qui a envoyé les invitations !

Les traiteurs en veste blanche franchissent rapidement la porte du jardin de l'Océane et se dirigent vers l'enceinte vitrée où se trouve la piscine.

Toutes les brochures publicitaires que sa mère a envoyées mettent en valeur la piscine en marbre noir de l'Océane et son pourtour assorti, qui ont été construits au début du siècle par un millionnaire excentrique. Luxueuse au possible, la piscine est entourée d'une enceinte vitrée et surmontée d'un toit ouvrant qui permet de laisser entrer l'air frais en été. Aujourd'hui, les ventilateurs tournent à leur vitesse maximale. L'enceinte est également garnie de plantes exotiques et entourée de cabines en toile blanche où les invités peuvent aller se changer. Un petit bâtiment à proximité des cabines renferme un bain-tourbillons et des courts de tennis éclairés s'étendent un peu plus loin. Sa mère espère pouvoir ajouter un casse-croûte près de la piscine et peut-être même un bar, mais il faut d'abord faire des profits.

Le plus étrange, cependant, c'est la forme de la piscine. La partie peu profonde et dotée de marches est arrondie. De là et jusqu'à la partie la plus profonde, elle devient rectangulaire, puis elle diminue en largeur jusqu'au point le plus étroit où est fixé le plongeoir. Cette forme rappelle à Stéphanie quelque chose qu'elle a déjà vu mais dont elle n'arrive pas à se souvenir. Et cette forme l'intrigue depuis qu'elle a emménagé à l'auberge.

Les traiteurs installent une longue table où ils déposent plateaux chauffants, bacs à glace, four miniature et gril portatif.

Stéphanie fait mentalement les comptes en regardant les traiteurs aller et venir, déchargeant plateau après plateau. Il y a suffisamment de nourriture pour organiser une soirée à la Maison Blanche!

— C'est génial! dit Philippe, debout sur le côté en compagnie de ses amis, bouche bée.

Ils sont arrivés à bord de la fourgonnette des Services récréatifs Plif-Plaf où ils ont entassé tous leurs accessoires de piscine. Madame Jacquier reste là en remuant les mains, impuissante, ne sachant trop que faire de tout ça.

La table réservée à la nourriture est longue, étroite et garnie de porcelaine fine et de verres de cristal. Stéphanie saisit un couteau et une fourchette. Incroyable! L'inconnu a commandé une coutellerie en argent véritable et des serviettes en toile de lin.

Viennent alors les hors-d'œuvre: cocktail de crevettes, caviar de Russie et craquelins.

L'un des membres de l'équipe se met à émincer de la laitue fraîche, des oignons et des champignons pour préparer une magnifique salade, laquelle sera suivie d'un choix de trois plats de résistance: filet mignon et chapeaux de champignons, chateaubriand et pommes de terre nouvelles ou homard.

Un congélateur portatif, installé à l'extrémité de la table, est muni d'un bac offrant tous les parfums de crème glacée possibles et imaginables.

Puis, comme si cela ne suffisait pas, Stéphanie remarque des musiciens qui installent une estrade sous les chênes, à proximité des tables à pique-nique. Sa mère discute avec eux et reçoit, sans aucun doute, la même explication. Tout a été payé par LE FIN DU FIN.

— Ça alors! Regardez ça! dit une voix familière à Stéphanie qui se retourne et aperçoit Dorine, Estelle, Magalie et Rachel les unes contre les autres, à quelques mètres d'elle. Si elles sont elles-mêmes plutôt bien nanties, Stéphanie est certaine qu'elles n'ont jamais rien vu de tel. Les jeunes filles ne la voient même pas, trop occupées à contempler, bouche bée, cet étalage de nourriture et l'Océane.

Stéphanie a presque oublié à quel point la demeure l'a impressionnée la première fois qu'elle l'a vue. Elle n'a rien du ranch traditionnel ni de la maison à demi-niveaux. Ses trois étages s'élèvent dans toute leur splendeur victorienne et sont surmontés d'une tour octogonale.

La musique qui retentit derrière elle tire Stéphanie de sa rêverie. Non seulement l'orchestre ne lui accorde-t-il pas le temps de saluer ses invités, mais la musique est si forte qu'elle s'entend à peine penser! Elle va donc d'un groupe à l'autre et essaie d'échanger quelques mots avec tout le monde.

Mais devant tant d'élégance, les invités ne se sentent pas à leur aise. Les «reines» du collège, Dorine, Estelle, Magalie et Rachel, restent groupées ensemble et ne parlent à personne; Sophie et Vanessa se tiennent seules, chacune de son côté, et Agnès se contente de tout examiner, ébahie. Elle semble si impressionnée qu'elle en oublie de flirter.

Tout le monde se tient à l'écart de l'enceinte de la piscine, assis en cercles sous les arbres. Aucun invité ne se mêle aux autres. Il n'y a personne à la table des rafraîchissements où un serveur verse du Coke dans d'élégantes coupes de cristal et garnit les thés glacés de bouquets de menthe et de tranches de citron. Personne ne semble remarquer que la température est idéale pour se baigner.

Pire encore, personne n'entre se changer dans les cabines.

Stéphanie, sachant qu'elle doit faire quelque chose, se dirige d'abord vers Dorine et ses amies. Si elle arrive à les convaincre de se déplacer vers la piscine, tous les autres suivront.

En s'approchant d'elles, Stéphanie se rend compte que les jeunes filles admirent leurs nouveaux bijoux respectifs. Dorine porte une bague en or gravée de façon originale. La bague semble trop grosse pour sa main, mais Dorine raconte aux autres où elle l'a achetée.

— Je l'ai trouvée à la bijouterie *Le Coffre aux trésors*.

— Ça, par exemple! J'y suis allée aussi! s'exclame Estelle en montrant sa grosse chaîne en or supportant une émeraude montée en pendentif.

— Ce que vous pouvez être copieuses! dit Magalie. J'y ai acheté ces boucles d'oreilles, ajoute-t-elle en écartant ses cheveux pour dévoiler ses boucles en or serties de perles. Avec ses boucles très chic et ses lunettes de soleil, Magalie a tout de la vedette de cinéma.

— Superbe! dit Rachel. J'irai dès demain. Où est-ce au juste?

— *Le Coffre aux trésors* est tout près de la plage, explique Dorine. On y vend des bijoux anciens, tu sais, de vieux bijoux trouvés dans les trésors des bateaux naufragés au large.

— De véritables trésors? demande Rachel.

— Oui, dit Dorine. Ces bijoux coûtent cher, mais ils le valent bien.

«J'aurais dû me douter que ces snobs allaient parler bijoux», se dit Stéphanie, qui ne possède que des bijoux fantaisie. Elle recule, ne sachant plus que dire. Une remarque du genre «Hé, les filles! Regardez les perles que j'ai achetées pour cinq dollars au supermarché!» ne serait pas très appropriée. Soudain, la conversation entre les jeunes filles change du tout au tout.

— Que pensez-vous de cette maison? demande Magalie en jouant avec ses boucles d'oreilles. Avec son style victorien, ses chênes et son lierre, elle ressemble à un décor de vieux film. Elle paraît effrayante. La mère de Stéphanie n'a pourtant pas d'argent. Comment a-t-elle pu se payer ce domaine?

— Il n'était peut-être pas aussi cher qu'il n'y paraît, dit Dorine. Il y a peut-être quelque chose qui cloche dans cette maison.

— Mon père a entendu toutes sortes

d'histoires étranges depuis qu'il a été élu maire. Il m'a dit que l'Océane n'a pas très bonne réputation.

— Ah oui? Raconte! implorent Estelle et les autres jeunes filles en se rapprochant de Rachel.

— Eh bien, il semble qu'un artiste ait vécu ici il y a longtemps. Un fou. Des personnes ont même été tuées ici ou, tout au moins, elles ont mystérieusement disparu, car personne ne les a jamais revues. Pendant des années, personne n'a osé s'approcher du domaine. Les gens disent qu'il est hanté par une jeune femme que l'artiste aurait tuée.

«Oh non! se dit Stéphanie. Pas étonnant que monsieur Carignan ait été heureux d'accorder cette franchise à maman. Une maison hantée!»

Stéphanie s'éloigne furtivement. Elle sent qu'elle sera incapable de leur adresser la parole de toute la soirée. En fait, elle se demande si elle sera encore capable de regarder en face tous ces gens après un tel fiasco.

Philippe et ses amis, tous en maillot de bain et portant palmes et équipement de plongée, traversent alors le jardin et sautent dans la piscine avec force éclaboussements, trempant jusqu'aux traiteurs.

Ils se mettent alors à se poursuivre dans l'eau et font tant de bruit qu'on les entend malgré l'orchestre.

Les invités remarquent peu à peu leur manège et, attirés par la piscine, ils se détachent de leurs petits groupes et rejoignent sans tarder Philippe et ses amis. Certains se dirigent même vers le sauna et le bain-tourbillons.

Stéphanie est ravie. Sa soirée est sauvée, grâce à Philippe qui lui a dit que le *party* prévu à l'origine la rendrait plus populaire. Il tient sa promesse en dépit de l'inconnu qui a tenté de tout ruiner.

«Méfiez-vous, qui que vous soyez, se dit Stéphanie. Vous qui avez dépensé tant d'argent et invité les gens qu'il ne fallait pas! Il n'est pas question que vous gâchiez cette soirée!»

Elle s'apprête à rejoindre les autres lorsqu'une main se pose sur son épaule.

Un garçon se tient près d'elle; ses cheveux noirs et bouclés tombent devant ses yeux au regard sombre et saisissant, eux-mêmes cachés derrière des lunettes à monture métallique.

C'est Daniel, vêtu d'un jean et d'un t-shirt. Il n'a manifestement pas l'intention de se baigner.

— Stéphanie! Ne devrais-tu pas annuler le *party*? Il se passe ici quelque chose de terriblement bizarre.

— Tu es fou ? Ça commence à peine à bien aller, dit-elle, prête à s'éloigner.

Mais Daniel l'attrape par la main.

— Savais-tu que ces traiteurs ne sont pas dans le bottin du téléphone ?

— Ils viennent peut-être de l'extérieur de la ville.

— Qui ferait venir des traiteurs de si loin ?

— Où veux-tu en venir ? demande-t-elle, les mains sur les hanches.

— La nourriture est peut-être empoisonnée.

— Oh, arrête, Daniel ! Sois sérieux ! Ce «fin du fin» a peut-être une case en moins, mais il n'essaierait tout de même pas de tuer cinquante jeunes réunis à une soirée !

— Parce que tu crois que c'est un gars bien ? Et c'est peut-être pour cette raison qu'il a dépensé tout cet argent et envoyé ces étranges invitations ? À toi d'être sérieuse ! J'appelle la police !

— Tu vas gâcher mon *party* !

Il pousse un soupir, la prend par les épaules et l'incite à se placer juste sous la tour.

— Tu vois cette fenêtre tout en haut de la tour ? Quelqu'un nous observe.

— Daniel, dit-elle en secouant la tête, si tu dois perdre les pédales, fais-le au *party* de quelqu'un d'autre.

Elle se retourne, dégoûtée, et s'apprête à traverser la pelouse.

— Je crois que c'est Philippe et ses amis!

— Comment oses-tu? dit-elle en pivotant sur elle-même. C'est Philippe qui a sauvé cette soirée. Il ne...

— Comment en es-tu si sûre? Tu ne sais rien de lui sinon qu'il drague sur les plages. Tu ne sais même pas d'où il vient ni ce qu'il fait. Et...

— Tu sais ce que je crois, Daniel? dit-elle en reculant. Tu es simplement jaloux que je sorte avec lui.

— Tu m'as toi-même demandé de venir ici, tu t'en souviens?

— Écoute, j'ai l'intention de m'amuser. Si tu appelles la police, je... je ne t'adresserai plus jamais la parole!

Stéphanie traverse la pelouse en courant sans se retourner jusqu'à l'enceinte de la piscine et souhaite que Daniel disparaisse.

Elle rejoint ses invités et s'amuse dans l'eau avec eux. Tout le monde est là, personne ne se tient à l'écart. Dorine, Estelle et Magalie se baignent avec leurs bijoux en or, et seul ce détail semble étrange à Stéphanie. Auraient-elles peur de se les faire voler?

Vient l'heure de manger. Les traiteurs ont tout préparé, et les jeunes affamés peuvent aller se servir avant d'aller s'asseoir aux grandes tables à pique-nique ou sous les arbres. Cette fois, les clans n'existent plus. Tous se mêlent les uns aux autres et Dorine, Estelle, Magalie et Rachel bavardent avec tout le monde.

— Où est le sel? demande soudain l'un des cuisiniers. Il était là il y a à peine une minute.

Tout le monde arrête de manger et regarde autour.

— Je ne sais pas, dit Sophie. Je n'ai vu personne se sauver avec une salière.

— Moi non plus, dit Agnès en riant.

Le cuisinier, qui veut que tout soit parfait, insiste. Il refuse de servir les steaks tant qu'on n'aura pas retrouvé le sel.

— Mademoiselle Jacquier, voulez-vous surveiller les steaks une minute, le temps que j'aille jusqu'à la camionnette?

L'autre traiteur ne pouvant se défaire de l'un de ses serveurs, Stéphanie monte la garde près des steaks. Ne voyant toujours pas revenir le cuisinier, elle soupire.

— Quelqu'un irait-il chercher du sel à la cuisine? Ces steaks sont sur le point de brûler.

Dorine, assise à la table à pique-nique, tripote sa bague en or. Comme elle est la seule à avoir fini son homard, elle se lève, s'étire et dit: «J'ai besoin d'exercice après un tel repas. Je vais le chercher.»

Tout le monde attend encore quelques minutes. Les steaks sont cuits à point, maintenant, et le cuisinier et Dorine ne reviennent toujours pas. Stéphanie éloigne la viande des flammes pour l'empêcher de brûler.

— Je vais voir ce que fait Dorine, dit Estelle en bâillant et en jouant avec son pendentif.

Elle se dirige vers l'Océane en courant, et Stéphanie entend la porte se refermer derrière elle.

Stéphanie compte jusqu'à dix, puis jusqu'à cent. Estelle ne revient pas. Trois personnes manquent à l'appel : le cuisinier, Dorine et Estelle. Les traiteurs commencent à se regarder du coin de l'œil quand Daniel surgit près de la jeune fille.

— Je t'ai dit qu'il se passait quelque chose de bizarre. Tu ne voulais pas me croire !

— Je suis sûre qu'il y a une explication parfaitement logique à tout ça.

— Oui ! Comme l'un des petits jeux de Philippe !

Magalie se lève et s'étire à son tour, ses boucles d'oreilles réfléchissant la lueur des lumières de la piscine.

— Je me demande ce que fabriquent Dorine et Estelle. C'est une plaisanterie ou quoi ?

— En fait, tu n'as pas besoin d'y aller, dit Stéphanie pour essayer de la retenir, soudain prise d'une horrible prémonition.

Mais Magalie se dirige déjà vers l'auberge. Tout le monde attend, tendu.

— Je vais jeter un coup d'œil, dit soudain Daniel.

Stéphanie le retient par la main, et il se tourne vers elle.

— Je croyais que ça ne t'inquiétait pas.

Une minute ou deux après, Daniel revient en brandissant la salière.

— Je l'ai trouvée sur l'étagère du haut. Il n'y a personne. J'ai cherché partout et je n'ai vu ni Dorine, ni Estelle, ni Magalie. Et leurs voitures sont toujours là. Désolé, Stéphanie, mais j'appelle la police.

Personne ne dit mot. Les lumières scintillent à la surface sombre de la piscine noire.

Trois jeunes filles et un cuisinier se sont évanouis dans la nuit. Sans laisser la moindre trace.

CHAPITRE 2

Dorine, Estelle et Magalie ont disparu.
Leurs parents n'ont aucune nouvelle d'elles.
Leurs amis ne savent pas où elles ont pu aller.
Personne ne les a vues partir, pas même madame Jacquier ni aucun des traiteurs. Personne
ne les a revues depuis qu'elles sont entrées
dans l'auberge pour y chercher la salière.

Il n'y a de sang nulle part. Pas la moindre
trace de lutte, aucun meuble déplacé et
aucune vitre brisée. Les services d'urgence
n'ont pas reçu d'appel sinon celui de Daniel.

Les policiers interrogent sans tarder
chaque invité séparément. S'il y a machination, elle n'a pu être montée que par une personne connue des jeunes filles, car celles-ci
l'ont manifestement suivie de leur plein gré.

Les policiers écartent immédiatement
l'hypothèse d'une blague de la part des jeunes
filles. Leurs voitures sont toujours dans le

stationnement de l'Océane, et elles ont laissé leurs sacs, argent et papiers dans les cabines. Elles ont même abandonné leurs vêtements. Les jeunes filles ne peuvent pas être allées bien loin uniquement vêtues de leurs maillots de bain mouillés.

Des journalistes s'installent sur la pelouse, et les policiers encerclent le domaine. La réception de l'auberge est envahie de curieux. Les habitants de l'île aux Crabes ne sont certes pas habitués à ce genre de situation.

Les policiers ont isolé le secteur au moyen d'un cordon, à l'exception des chambres occupées par les clients.

Le lendemain matin, Stéphanie est étonnée d'entendre Vanessa, Agnès et Sophie frapper à sa porte, toutes trois accompagnées de gens du coin. Vanessa, le visage tout aussi grave que les journalistes, se tient devant les deux autres jeunes filles.

— Stéphanie, nous avons réfléchi. S'il est arrivé quelque chose à Dorine, Estelle et Magalie, seul un invité au *party* peut en être responsable. Sophie, Agnès et moi croyons devoir rester ensemble et ouvrir grands nos yeux. Si nous remarquons quelque chose d'insolite, nous en ferons part à la police.

— Tu suggères de conclure une sorte de pacte ? lui demande Stéphanie. En temps nor-

mal, elle considérerait cette idée comme plutôt farfelue mais, compte tenu des circonstances, elle doit admettre que ç'a un certain sens.

— Un fou a sans doute pris ces filles
pour cible. Nous ne voulons pas être les sui-
vantes, dit Agnès en frissonnant légèrement.

— Croyez-vous qu'il s'agit du traiteur ?
demande Stéphanie.

— Mais non ! dit Sophie avec son sens
pratique. Les policiers l'ont trouvé assommé
dans le stationnement. Voilà pourquoi il
n'est jamais revenu.

— D'accord. J'accepte. Nous nous ren-
contrerons régulièrement au collège, dit
Stéphanie.

Agnès insiste pour qu'elles prêtent ser-
ment. Stéphanie, qui trouve l'idée exagéré-
ment dramatique, se plie néanmoins à sa
demande. Les jeunes filles entrent alors dans
le salon, posent leurs mains les unes sur les
autres et promettent de tout rapporter fidèle-
ment. Stéphanie est stupéfaite de serrer les
mains de filles à qui elle ne disait pas même
bonjour quelques semaines auparavant, mais
qui sait ce que l'avenir nous réserve ?

Elle perçoit le clin d'œil que lui lance
Sophie. La jeune fille trouve elle aussi
qu'Agnès exagère. Stéphanie lui adresse un
sourire en retour en se disant que ces filles ne
sont pas si mal après tout.

Dans le feu de l'action, Stéphanie est étonnée de découvrir une jeune femme qu'elle n'a encore jamais vue, assise au milieu du grand escalier. Des gens et même des policiers vont et viennent autour d'elle, mais personne ne semble l'apercevoir.

En s'approchant, Stéphanie constate que l'étrangère est absorbée par son dessin.

La jeune fille, qui doit avoir l'âge de Stéphanie, a de longs cheveux noirs et brillants. Elle est élégamment vêtue d'un short griffé et d'un chemisier assorti. Ses jambes, longues et fines, sont croisées devant elle. Ses bras et ses mains sont tout aussi parfaits. Stéphanie pense que, de sa vie, elle n'a jamais vu une aussi belle fille.

— Stéphanie! J'aimerais te présenter quelqu'un, dit sa mère en passant un bras autour de sa taille et en l'entraînant vers l'étrangère.

La jeune fille détache son regard de son dessin et sourit. Ses yeux sont d'un violet exotique extrêmement rare.

— Stéphanie, je te présente mademoiselle Isabelle Carignan, la fille de monsieur Carignan, le propriétaire de l'Océane à qui j'ai acheté la franchise. Isabelle est arrivée d'Angleterre ce matin.

— Bonjour! réussit à dire Stéphanie. Elle se sent intimidée par cette fille dont le père doit être terriblement riche. Pas étonnant que sa mère soit nerveuse. Le moment est mal choisi pour recevoir à l'improviste la fille du propriétaire!

Madame Jacquier se retire rapidement et laisse les jeunes filles faire connaissance. Isabelle sourit et se déplace pour laisser Stéphanie s'asseoir. Elle lui tend alors son carnet de croquis.

Stéphanie reconnaît la réception de l'Océane, dessinée au pastel. Les moindres détails des boiseries sombres, des lambris, des gargouilles sur la rampe, des meubles couverts de soie et des lampes en laiton y sont rendus à la perfection.

— Alors, dit Isabelle avec un accent britannique. Crois-tu que ce dessin est valable?

— Ça, oui! Tu es vraiment excellente!

— Oh! Je ne suis pas si bonne, dit Isabelle avec modestie. Ce n'est qu'un passe-temps.

Elle reprend son carnet et le feuillette. Chaque page révèle un nouveau dessin de l'Océane et de ses jardins. Stéphanie apprécie particulièrement les croquis détaillés de la piscine qui, tous, soulignent sa forme mystérieuse, unique en son genre.

Elle voit soudain un dessin qu'elle ne reconnaît pas. C'est celui d'une poupée ancienne assise dans un fauteuil berçant, élégamment vêtue et dont les longs cheveux blonds tombent librement sur les épaules. Ses lèvres pincées lui donnent un air très solennel. Ses traits semblent si réels qu'elle en est presque inquiétante. Si elle n'était pas si avisée, Stéphanie aurait juré qu'il s'agissait là du portrait d'une véritable jeune femme.

— Tu collectionnes les poupées ? demande-t-elle à Isabelle, ne sachant comment interpréter ce dessin. Elle s'y connaît suffisamment pour savoir que les plus beaux modèles peuvent être inestimables. Le passe-temps idéal pour une riche héritière.

— Oh non ! dit Isabelle en riant. En fait, j'allais te poser la même question. J'ai trouvé cette poupée là-haut, dans une des chambres.

Cette remarque éveille soudain la curiosité de Stéphanie. Qu'est-ce qu'une poupée d'une telle valeur peut faire à l'Océane ? Un client l'aurait-il oubliée ?

— Dans quelle chambre est-elle ? demande Stéphanie en étudiant le croquis. Je n'ai jamais vu cette poupée.

— Dans cette chambre de luxe, tout en haut de l'escalier, celle flanquée de la tour et donnant sur la piscine, répond Isabelle qui semble très bien connaître l'Océane.

— Comment es-tu entrée ? Cette chambre est occupée.

— Les clients s'en vont, explique Isabelle en montrant d'un signe de tête une femme élégante et une fillette en train de descendre l'escalier.

La petite fille a une longue queue de cheval ornée d'un ruban rose, et les talons de la femme font un bruit terrible sur les marches en bois. Deux journalistes les suivent mais la jeune femme tente de les repousser. Elle s'arrête devant la réception.

— Puis-je vous aider ? lui demande la mère de Stéphanie.

— J'aimerais régler ma note.

— Je suis désolée que toute cette agitation vous ait dérangée, mais...

— Elle me rend folle. Tous ces journalistes qui viennent frapper à ma porte, sans parler des policiers. Je n'ai pas eu un instant de tranquillité.

— Je suis certaine que tout reviendra à la normale d'ici demain, dit madame Jacquier.

— Et en plus, il fait beaucoup trop froid dans notre chambre, continue la femme.

— Nous pouvons demander au réparateur de vérifier l'air climatisé, dit la mère de Stéphanie, l'air de s'excuser.

— Je ne crois pas que ce soit l'air climatisé. La chambre reste froide même quand je l'éteins.

— Mais c'est impossible, dit madame Jacquier avec un rire nerveux.

— Eh bien, allez donc dormir dans mon lit!

— Est-ce que la jolie dame vient avec nous? demande la fillette en tirant la main de sa mère. Elle va me manquer. Elle m'a donné des bonbons.

— Voilà encore autre chose. Ma fille prétend qu'une femme s'est introduite dans notre chambre au beau milieu de la nuit, qu'elle lui a parlé, donné des friandises, et s'est assise au bord du lit. Je ne l'ai pas vue, mais j'espère sincèrement que vous en parlerez à la police. Elle a peut-être quelque chose à voir avec tout ce qui se passe ici.

— Aviez-vous verrouillé votre porte? demande la mère de Stéphanie, les joues rouges.

— Bien sûr! Mais je suppose que les portes sont si vieilles que les serrures ne fonctionnent pas.

— Mais la jolie dame va pleurer si je ne lui dis pas au revoir, insiste la fillette. Elle pleure tout le temps, tu sais.

— Viens, chuchote Isabelle à l'oreille de Stéphanie. Il n'y a plus personne dans la chambre. Montons, je vais te montrer.

L'idée d'abandonner sa mère ne plaît pas à Stéphanie, mais elle ne pense pas pouvoir faire quoi que ce soit. Il y a effectivement des problèmes d'air climatisé dans l'auberge. La maison est très vieille. Quant aux personnes qui apparaissent au beau milieu de la nuit... Stéphanie préfère ne pas y penser, surtout après les disparitions.

La porte à deux battants de la chambre de la tour est restée grande ouverte. Les jeunes filles y pénètrent.

Stéphanie n'a jamais vu de chambre si élégante avant d'arriver à l'Océane. Les meubles en acajou datent du siècle dernier. Des rideaux de dentelle garnissent la fenêtre. Un tapis persan couvre le parquet. Un escalier en colimaçon conduit au troisième étage de la tour et au balcon qui surplombe la piscine.

Isabelle montre à Stéphanie la poupée assise dans un fauteuil berçant, sous la fenêtre.

— N'est-elle pas magnifique? dit Isabelle en la prenant délicatement.

La poupée porte une longue robe blanche rehaussée de dentelle blanche sous une cape mauve. Ses cheveux sont ornés de plumes et de petites fleurs roses et blanches.

— Mon Dieu! Elle semble vivante! dit Stéphanie en caressant du doigt la joue de la poupée.

— Les poupées étaient faites ainsi au début du siècle, dit Isabelle.

— On dirait de la vraie peau! dit Stéphanie en écartant son doigt. Cette inquiétante ressemblance avec un être humain la fait frissonner de la tête aux pieds. La poupée la regarde de ses yeux bleus au regard saisissant, parfaits dans les moindres détails jusqu'aux cils et aux sourcils. On jurerait que la poupée l'observe.

— Ceux qui fabriquaient de telles poupées étaient de véritables artistes. Ils les faisaient à l'image de leur propriétaire.

— Mais cette poupée est si ancienne, dit Stéphanie, le souffle coupé par l'inquiétude. Tu veux dire qu'elle ressemble à une personne qui est morte ?

— Très certainement.

« Quelle étrange immortalité », se dit Stéphanie en effleurant la longue chevelure blonde et bouclée. Celle-ci est aussi fine et soyeuse que de véritables cheveux.

— Ce sont sans doute des cheveux de sa propriétaire, dit Isabelle, comme si elle lisait dans ses pensées.

Stéphanie fait un pas en arrière. La chambre semble se mettre à tournoyer. Comment est-ce possible ? La poupée est même dotée d'ongles délicatement sculptés.

— Tu te sens bien ? lui demande Isabelle. La voix lui paraît venir de très loin.

— Partons. Je suis sans doute effrayée à cause de tout ce qui se passe, dit Stéphanie en cherchant la porte à tâtons avant de quitter la chambre.

— Que s'est-il vraiment passé ? Je mourais d'envie de te poser la question, dit Isabelle en posant doucement la poupée dans le fauteuil avant de refermer la porte derrière elles. Je n'ai entendu que quelques bribes. Tu sais, j'espérais assister à ton *party*. Mais je n'ai pas pu à cause des vols de correspondance.

— Tu n'aurais voulu assister à cette soirée pour rien au monde !

Stéphanie entraîne Isabelle dans le petit appartement du rez-de-chaussée où elle habite avec sa mère.

— C'est le *party* le plus étrange auquel j'aie jamais assisté ! ajoute-t-elle en se laissant tomber sur son lit et en se débarrassant de ses chaussures.

Isabelle s'assoit sur une chaise devant Stéphanie, son carnet de croquis à côté d'elle. Elle pose son regard sur la jeune fille et l'écoute attentivement.

— Ça a été effrayant depuis le début. Un fou a envoyé de très élégantes invitations avant même que je puisse choisir mes propres invités. Regarde ça, dit Stéphanie en sortant une invitation de sa table de chevet et en la tendant à Isabelle.

Isabelle examine l'invitation à la tranche dorée où il est écrit : « Le fin du fin ». Elle inspecte ensuite attentivement l'enveloppe doublée de fin papier or.

— Je n'y vois rien de particulier, dit-elle, ses yeux violets étincelants, en rendant le tout à Stéphanie. Je trouve en fait l'idée plutôt agréable.

— Je ne comprends pas.

— Vois-tu, j'ai moi-même envoyé ces invitations.

— Tu as fait quoi?

— J'ai pensé que ce serait un bon moyen pour que tout le monde découvre le nouvel hôtel de l'île aux Crabes, dit-elle en haussant les épaules.

Stéphanie est muette de stupeur.

— Mais... tu veux dire que tu as aussi commandé les traiteurs et tout le reste? Tu as fait ça?

— Bien sûr.

Stéphanie se souvient à quel point tous les invités ont été surpris et même choqués. Isabelle est-elle toujours aussi mystérieuse? Pourquoi n'a-t-elle pas parlé de son projet à madame Jacquier, la franchisée de son propre père?

Stéphanie se mord la langue. Elle ne peut pas critiquer la fille du patron de sa mère.

— Et... pourquoi n'as-tu invité que des jeunes qui n'ont aucun lien entre eux?

— En réalité, j'ai mis les noms de tous les élèves de dernière année dans un chapeau et je les ai tirés au hasard jusqu'à en avoir cinquante, explique Isabelle en souriant.

Stéphanie sait que le choix de jeunes qui ne se connaissent pas ne peut pas être le fruit du seul hasard. Elle se creuse les méninges pour se rappeler ce qu'elle a appris dans ses cours de calcul des probabilités. Ça ne tient pas debout.

— Une dernière question, dit-elle en humectant ses lèvres. Pourquoi « Le fin du fin » ?

— Ça m'a semblé joli, répond Isabelle en faisant la moue.

Dr-r-r-ing!

Stéphanie court vers le salon pour répondre au téléphone.

Une voix étrange, déformée, la fait se crisper de nervosité.

— Tu sais où se trouvent Dorine, Estelle et Magalie. C'est toi qui les as entraînées là.

— Qui est à l'appareil ?

Sentant ses genoux faiblir, elle se laisse tomber sur le canapé.

— Quelqu'un qui voit tout ce que tu fais.

— Laissez-moi tranquille !

— Va d'abord jeter un coup d'œil sous ton matelas.

La communication est alors coupée.

— Qui est-ce ? demande Isabelle, appuyée au coin de la chambre.

Stéphanie la bouscule et va soulever son matelas. Elle découvre alors les bijoux en or que les trois jeunes filles portaient la nuit où elles ont disparu. Comment pourrait-elle oublier la bague de Dorine, le pendentif d'Estelle ou les boucles d'oreilles de Magalie ? Et tous ces bijoux sont étalés juste sous ses yeux.

Stéphanie laisse retomber le matelas et se met à hurler.

CHAPITRE 3

La seule chose dont Stéphanie se rappelle ensuite, c'est de s'être trouvée à la réception en compagnie d'Isabelle, qui a passé un bras autour de ses épaules, l'Océane fourmillant de policiers. Sa mère semble inquiète, affolée, et ne cesse de se tamponner les yeux avec un mouchoir. Stéphanie se souvient à peine de toutes les questions dont les policiers l'ont mitraillée.

— Ce n'est pas ta faute, insiste Isabelle. Quelqu'un essaie de te faire accuser. Tu n'aurais jamais volé ces bijoux.

Philippe franchit vivement le pas de la porte. Quelqu'un — sa mère, probablement — l'a appelé. Il se précipite vers Stéphanie et passe son bras autour des épaules de la jeune fille d'un geste possessif. Isabelle recule tandis qu'il s'en prend aux policiers.

— Comment osez-vous supposer que

ma copine a quelque chose à voir avec tout ça! Il est évident que quelqu'un cherche à la rendre suspecte.

— Philippe, je t'en prie! dit madame Jacquier en posant sa main sur le bras du jeune homme pour le calmer. Tu ne veux tout de même pas avoir, toi aussi, des problèmes avec la police!

Sophie, Agnès et Vanessa franchissent à leur tour la porte d'entrée.

— Stéphanie! Que s'est-il passé? s'exclame Agnès. Nous avons entendu parler des bijoux au radiojournal.

— Pouvons-nous faire quelque chose? demande Vanessa.

— Merci d'être venues, dit Stéphanie, la voix rauque d'avoir pleuré.

— Qui qu'il puisse être, ce dingue agit vraiment très vite, dit Sophie.

— Nous observons le domaine depuis ce matin, comme nous l'avons promis, l'interrompt Vanessa. Nous n'avons vu aucun suspect.

— Que des policiers et quelques journalistes, ajoute Agnès.

— Quelqu'un s'est peut-être introduit ici en pleine nuit, suggère Sophie.

— Qui détient une clé? demande Vanessa.

— Seulement les personnes qui travaillent ici, les amis de la famille et les clients, répond madame Jacquier.

— Cette femme avec une petite fille semblait terriblement pressée de s'en aller, raisonne tout haut Isabelle.

— Mon Dieu! Je n'y pensais plus! dit madame Jacquier.

— Il est trop tard maintenant, soupire Sophie. Elles sont parties.

Les nouvelles amies de Stéphanie, les membres du « pacte », s'empressent autour d'elle comme de véritables mères poules. Sophie pose une main sur son bras; Vanessa lui tient la main; Agnès va même jusqu'à pleurer avec elle. Mais personne ne peut empêcher les policiers de fouiller la maison de fond en comble. Ils sont convaincus de la culpabilité de Stéphanie.

En dépit de sa volonté de les réprimer, les larmes inondent les joues de Stéphanie. Sa mère l'a avertie que les clients déserteraient l'auberge et qu'elle ne pourrait pas payer ses factures si l'Océane s'attirait d'autres commentaires négatifs.

Soudain, Stéphanie aperçoit Daniel appuyé contre le mur, près de la porte. Elle ne l'a pas vu entrer. Il traîne les pieds, les mains dans les poches, et n'est manifestement pas à son aise. Il s'éclaircit alors la voix et lance des regards autour de lui.

« Que lui arrive-t-il ? » se demande
Stéphanie.

Madame Jacquier a installé à la réception
une petite table roulante avec du café pour
les policiers. Bien qu'elle agisse de façon très
professionnelle en remplissant des gobelets
et en offrant crème, sucre et bâtonnets, elle
paraît nerveuse et épuisée. Ses yeux ne quittent pas la porte d'entrée, comme si elle
attendait quelqu'un.

Il ne fait aucun doute que ce n'est pas
Daniel qu'elle attend. Ce dernier reste caché
dans un coin de la réception sans parler à qui
que ce soit, observant tout le monde avec cir-
conspection. Stéphanie en a la chair de
poule. Elle tient désespérément à lui demander ce qui se passe.

Le père de Stéphanie fait soudain irruption dans l'auberge. Vêtu d'un complet ves-
ton, il porte une mallette, un ordinateur
portatif et un imperméable plié sur l'avant-
bras. Il est clair qu'il revient à peine d'un de
ses voyages d'affaires internationaux. Il passe
son temps à voyager.

Stéphanie ne l'a pas vu depuis plusieurs
mois. Elle en oublie presque la situation
présente lorsqu'elle court se jeter dans ses bras.

— Ma chérie, murmure-t-il, que se
passe-t-il ? Ta mère m'a dit que tu avais des
ennuis avec la police.

Sa mère se tient près d'eux, les mains jointes devant elle.

À quoi servirait de raconter à son père ce qu'elle a répété des centaines de fois à sa mère et aux policiers ? Elle ne sait rien à propos de la disparition des jeunes filles, pas plus qu'au sujet des bijoux. Toutes les preuves indirectes sont contre elle, mais elle n'a pas la moindre idée de ce qui se passe.

Soudain, un policier s'approche d'eux, sourire aux lèvres.

— Mademoiselle Jacquier, je crois avoir résolu l'affaire. Vous êtes une femme libre.

— Que voulez-vous dire ?

Stéphanie est si interloquée qu'elle a du mal à parler. D'abord, elle va en prison ; maintenant, elle est libre. Et elle n'a rien fait sinon rester plantée là.

— Nous l'avons attrapé alors qu'il tentait de s'échapper, dit le policier en jetant un coup d'œil par-dessus son épaule.

Daniel, les mains appuyées contre le mur, est encerclé de policiers qui le fouillent.

— Georges, tu ferais bien d'envoyer une autre auto-patrouille. Celui-ci est armé et dangereux, dit l'un des policiers dans sa radio.

Un policier sort une arme de la poche de pantalon de Daniel. Stéphanie en a le souffle coupé. C'est à peine si elle sent la main d'Isabelle sur son bras. Elle n'entend pas plus le grognement d'incrédulité de Sophie que les commentaires chuchotés de Vanessa et d'Agnès. Elle prend à peine conscience du chapelet de jurons qui échappe à Philippe.

— Daniel! Que se passe-t-il? s'écrie Stéphanie. Je... Je ne peux pas y croire!

Daniel regarde au loin; un policier l'informe de ses droits. L'officier qui se tient près de Stéphanie commence à tout expliquer.

— Nous avons trouvé dans sa poche une transcription du coup de fil qu'il vous a passé. Nous avons également trouvé d'autres bijoux en or et une liste de prêteurs sur gages à qui il aurait pu les vendre. Je l'ai surveillé toute la matinée. Il est de tempérament plutôt agité. Les malfaiteurs reviennent toujours sur les lieux de leur crime.

— Mais... Daniel n'avait aucune raison de voler une poignée de bijoux et de les cacher sous mon matelas.

— Vraiment, mademoiselle? dit l'officier. Très bien, voyez vous-même.

Il lui tend un papier. Il semble s'agir de la transcription d'un autre appel téléphonique, d'une conversation qui n'a pas encore eu lieu. Des menaces de mort.

Et c'est écrit de la main de Daniel. Stéphanie reconnaîtrait son écriture n'importe où.

CHAPITRE 4

«Daniel arrêté pour enlèvement. Que se passe-t-il donc?» se demande Stéphanie.

Daniel ne correspond peut-être pas à l'idée qu'elle se fait d'un petit ami, il n'est peut-être pas très excitant, mais depuis leur plus tendre enfance, il a toujours été solide comme le roc. Il n'a jamais changé; il a toujours été quelqu'un de bien.

Son père, monsieur Émond, est professeur de mathématiques à la Pointe-du-Bout. En plus d'être chef scout, il est l'entraîneur de l'équipe masculine de basket-ball. Il compte parmi les personnes les plus respectées de la ville.

Madame Émond est enseignante à l'école secondaire. Elle est présidente du comité organisateur des fêtes scolaires. Lorsque le collège a besoin de bénévoles, elle est toujours prête à donner un coup de main.

La famille Émond est toujours si droite et honnête qu'elle semble sortie tout droit d'une vieille série télévisée.

Daniel obtient d'excellentes notes au collège. Il n'a jamais de problèmes, n'a jamais de retenues et ne va jamais au bureau du directeur. Il est si calme qu'on l'oublie presque si on ne le regarde pas prendre ses notes. Il n'embête jamais les professeurs et a toujours le meilleur bulletin.

— Il ne peut s'agir que d'un coup monté, ne cesse de murmurer Stéphanie.

— Je te l'avais bien dit, fanfaronne Philippe. Sa jalousie lui a fait perdre la tête. Il n'a pas tardé à s'effondrer.

— Si je cligne encore des yeux, je me réveillerai peut-être, dit Sophie à côté de Stéphanie. Tout ça n'est qu'un mauvais rêve.

— Ça alors ! Quel retournement ! dit Agnès. Dites-moi à quel moment rire. C'est la plus mauvaise blague que j'aie jamais entendue.

— Quand bien même j'écrirais un article pour le journal du collège, personne ne le croirait, dit Vanessa.

Ces remarques pleines de bon sens redonnent courage à Stéphanie.

— Attendez ! dit-elle aux policiers qui s'apprêtent à emmener Daniel. J'aimerais rester une minute seule avec lui.

— Il a été fouillé, dit l'un des officiers. Je pense que ça ira.

— Si vous avez besoin de nous, mademoiselle, nous serons à l'extérieur, dit l'autre policier.

Philippe proteste, mais Stéphanie et Daniel se retrouvent très vite seuls. La jeune fille, debout dans le hall, le regarde. Ils restent tous deux muets pendant quelques minutes, et Stéphanie n'entend que le tic-tac de l'horloge grand-père provenant du salon.

Daniel regarde ses pieds.

— Alors? demande-t-elle enfin. Vas-tu simplement rester planté là? Explique-moi ce qui se passe. Toi et moi, on se connaît depuis toujours, non?

— Qu'est-ce que je peux dire? dit-il en haussant les épaules.

Très pâle, il se mordille les lèvres. Ses yeux expriment une telle douleur que Stéphanie a du mal à le regarder.

— Pourquoi aurais-tu fait une telle chose?

— Je t'aime beaucoup, Stéphanie, et j'ai beaucoup souffert lorsque tu m'as quitté, explique-t-il en enfonçant ses mains dans ses poches et en faisant un pas vers elle. Parce qu'il est mineur, les policiers n'ont pas cru bon de lui passer les menottes.

Il continue de s'approcher d'elle d'une façon, semble-t-il, délibérée.

— Mais je n'arrive pas à croire que tu aies pu faire une chose pareille, dit Stéphanie.

Il s'approche encore, lentement, et semble faire bouger sa main gauche dans sa poche.

— J'ai voulu te blesser comme tu m'as blessé en me quittant.

Daniel est-il devenu fou? Le malaise de Stéphanie s'accroît de minute en minute. Daniel l'attrape alors par la taille et la secoue, son air coupable et misérable soudain évanoui.

— Méfie-toi de Philippe, Stéphanie! siffle-t-il à son oreille. Il prépare quelque chose et...

Stéphanie pousse un cri tandis que Daniel s'écroule, Philippe par-dessus lui. Bénéficiant de l'effet de surprise, Philippe le cloue au sol. Daniel a du mal à se débarrasser du jeune homme qui, beaucoup plus grand et costaud que lui, le roue de coups à la mâchoire.

Mais Daniel surprend son adversaire en lui assenant un coup sur le nez. Philippe s'effondre, les yeux grands ouverts, en état de choc.

— Philippe! Daniel! Arrêtez! À l'aide! crie Stéphanie.

Les policiers séparent les deux garçons et entraînent Daniel dans une auto-patrouille aux gyrophares allumés.

— Heureusement que je suis intervenu, explique Philippe à la ronde. Daniel s'apprêtait à sauter sur Stéphanie.

Les parents de la jeune fille proposent à Philippe de soigner ses blessures. Ils lui offrent un Coke dans la cuisine tandis qu'il raconte ses exploits à Isabelle, Sophie, Agnès, Vanessa et Stéphanie qui, étonnée, sirote lentement sa boisson gazeuse.

— Je ne crois pas qu'ils laisseront sortir ce salaud de prison, mais s'il t'embête encore, tu n'as qu'à m'appeler, dit-il en embrassant Stéphanie sur le front.

Encore en état de choc, la jeune fille ne répond pas.

— Laisse-moi savoir quand tu auras démêlé tout ça, lui chuchote Sophie en lui disant au revoir.

— Je ne suis pas sûre d'y arriver un jour, répond Stéphanie, sincère. Elle se sent de toute manière trop fatiguée pour essayer de comprendre quoi que ce soit.

Elle se traîne avec peine jusqu'à sa chambre et s'effondre sur son lit.

— Ne te mets pas martel en tête, ma chérie, lui dit sa mère depuis l'encadrement de sa porte. Je suis certaine que la police trouvera une explication parfaitement logique au comportement aberrant de Daniel. Les adolescents traversent certaines étapes.

Stéphanie se demande qui, de Philippe ou de Daniel, dit la vérité. Philippe est son petit ami. Elle l'aime et n'a aucune raison d'avoir peur de lui. Il ne voudrait la blesser pour rien au monde.

« En serait-il capable ? »

Non, c'est impossible.

— Daniel ne t'a pas fait de mal, n'est-ce pas, ma chérie ? lui demande sa mère en s'approchant avant de s'asseoir au bord du lit et de toucher le front et les joues de sa fille.

— Il m'a un peu effrayée, c'est tout. J'ai simplement envie de dormir.

— Je suis désolée que toute cette pagaïe t'ait bouleversée. Ton père restera en ville jusqu'à ce que tout rentre dans l'ordre.

— C'est gentil ! dit Stéphanie en bâillant et en souhaitant se sentir plus heureuse.

C'est vraiment chouette que son père reste quelque temps. Elle ne l'a pas vu depuis des semaines.

Un bruit sourd au plafond la tire de ses pensées.

— Les clients du dessus font trop de bruit. Je n'arriverai pas à bien dormir, cette nuit.

— Tu n'éprouveras plus ce problème très longtemps, dit sa mère d'un air mécontent en se levant pour partir. Nos clients partent les uns après les autres. L'Océane sera bientôt aussi silencieuse qu'un tombeau !

Stéphanie se laisse gagner par le sommeil et rêve à la piscine. L'eau vient lécher les carreaux de marbre noir et scintille au clair de lune.

Soudain, elle se réveille en sursaut. Elle regarde sa montre en clignant rapidement des yeux. Elle doit avoir dormi pendant des heures !

Encore somnolente, elle s'assoit au bord de son lit, éternue et cherche un mouchoir au fond de sa poche. Sa main effleure alors un morceau de papier froissé. Elle le défroisse rapidement et y découvre l'écriture décidée de Daniel :

Jette un coup d'œil dans la chambre de l'étage supérieur !

Comment ce papier est-il arrivé dans sa poche ? Daniel l'y a-t-il glissé lorsqu'il l'a saisie par la taille ?

Il n'y a qu'une chambre au-dessus de ce qu'elle et sa mère appellent l'appartement directorial. C'est la chambre la plus grande et la plus luxueuse de l'auberge, celle que la dame et sa fillette ont occupée récemment. La chambre où se trouve la poupée.

Stéphanie commence à monter l'escalier, les jambes encore vacillantes. Elle se demande si c'est une bonne idée. Elle ne tient pas à revoir cette poupée effrayante.

Devrait-elle attendre que Sophie, Agnès ou Vanessa l'accompagne? Ou Isabelle? Mais il est trop tard: elle est déjà à mi-chemin de l'escalier.

Stéphanie ne comprend pas comment le tout nouveau climatiseur fonctionne, mais plus elle grimpe et plus il fait froid. L'air chaud n'est-il pas censé monter?

Lorsqu'elle arrive devant la chambre, Stéphanie ouvre les deux battants en bois et entre. La chambre a été faite et des savonnettes parfumées et une pile de serviettes propres ont été posées sur le lit.

Elle ne constate rien d'inhabituel, sinon que la poupée n'est plus dans le fauteuil. Elle pousse un soupir de soulagement. À moins que Daniel ait voulu lui faire remarquer le mauvais fonctionnement du climatiseur — il fait un froid arctique dans cette pièce —, il n'y a absolument rien à voir. Stéphanie frictionne ses bras couverts de chair de poule.

«La cliente avait raison», se dit-elle.

Les rideaux de dentelle garnissent, impeccables, le lit à baldaquin. Le lavabo en porcelaine repose sur son support en acajou, les tableaux n'ont pas bougé et le tapis persan est toujours au même endroit.

Stéphanie hausse les épaules. Elle n'y comprend rien. Que voulait dire Daniel? Elle soupire et regarde sa montre. Elle ferait mieux de descendre et voir si sa mère a besoin d'aide pour le repas.

Soudain, elle le voit.

Lorsqu'elle est entrée dans la chambre, elle a aperçu la pile de serviettes propres posée sur le lit. Mais il y a autre chose maintenant. On dirait un vieux mouchoir usé, jauni, en toile de lin bordée de dentelle — le genre d'articles que plus personne n'utilise aujourd'hui. L'un des coins porte les initiales C. W. brodées au fil d'or.

Le mouchoir est humide.

Stéphanie se rappelle soudain ce que la fillette avait dit. Elle suppliait sa mère de ne pas quitter l'Océane. Elle n'avait cessé de parler de la jolie dame aux longs cheveux blonds qui était venue la voir pendant la nuit.

— La jolie dame va pleurer si je ne lui dis pas au revoir, avait-elle dit.

Serait-ce le mouchoir de cette femme?

Stéphanie dépose le mouchoir sur le lit mais, au moment où elle se retourne pour partir, elle sent sur elle un courant d'air tiède. Elle lève les yeux. Ce vent chaud doit venir de l'escalier en colimaçon. Elle tend l'oreille. Le vent fait claquer une porte mal fermée dans la tour.

Elle commence à monter l'escalier.

La porte donnant accès au balcon est grande ouverte. Elle s'avance sur le balcon, dans la lumière vive du soleil. Elle attend que ses yeux s'habituent à la clarté.

La piscine en marbre noir s'étend directement sous le balcon. Les lattes du toit de l'enceinte vitrée sont ouvertes. Elle voit sa mère, son père, l'un des policiers et Philippe bavarder autour de la piscine que Philippe nettoie au moyen d'un filet. Il lève les yeux vers elle, lui sourit et lui fait signe de la main.

Elle lui renvoie son salut.

La lumière du soleil danse à la surface de l'eau et fait miroiter le marbre noir. Elle regarde, cligne des yeux, puis regarde de nouveau. Elle n'a encore jamais vu la piscine sous cet angle. C'est bizarre, mais il lui semble voir les initiales C. W. se détacher du fond de la piscine. Les mêmes initiales dorées que celles brodées sur le mouchoir.

Soudain, les lettres disparaissent.

Stéphanie se frotte les yeux. Aurait-elle des hallucinations ? Elle a nagé là de nombreuses fois, et il n'y a jamais rien eu au fond de la piscine !

Elle regarde de nouveau la piscine... Rien. Elle secoue la tête en descendant l'escalier de la tour et entend couler la douche ! Alarmée, elle s'immobilise, le pied sur la dernière marche.

La chambre doit être occupée par de nouveaux clients ! La pile de serviettes et les savonnettes parfumées ne sont plus sur le lit. Elle doit sortir de cette pièce le plus vite possible.

Traversant la chambre sur la pointe des pieds, elle fait soudain craquer une planche. Elle pivote sur elle-même et fixe la porte de la salle de bains. L'a-t-on entendue ? Doit-elle simplement se sauver ?

La porte de la salle de bains est entrouverte, et Stéphanie aperçoit le rideau de douche. Elle recule, embarrassée, s'attendant à voir la silhouette de quelqu'un.

Mais il n'y a personne !

Stéphanie regarde de nouveau. Que se passe-t-il donc ?

Étourdie, le cœur battant, elle s'approche lentement de la salle de bains. Elle tremble de la tête aux pieds. Elle sait qu'elle devrait partir en courant, mais quelque chose l'attire et la fait s'avancer.

La jeune fille entre dans la salle de bains et pose sa main sur le rideau de douche. C'est la chose la plus effrayante qu'elle ait jamais eu à faire. Elle prend une grande inspiration et fait brusquement glisser le rideau sur la tringle.

Il lui faut une minute pour comprendre ce qu'elle a sous les yeux. La baignoire sur pieds est déjà à moitié remplie d'eau. Quelque chose flotte sur le ventre à la surface. La poupée aux longs cheveux blonds. Stéphanie la sort de l'eau.

L'expression de la poupée a changé. Son visage n'a plus cet air neutre dont Stéphanie se souvient. Il paraît très en colère. Les yeux bleus sont devenus rouges. Du sang jaillit de la bouche de la poupée et coule sur son menton avant de s'égoutter sur le sol.

Stéphanie laisse tomber la poupée et se met à hurler.

Le lendemain matin, tous les journaux relatent l'événement :

Trois jeunes filles disparues
Un vol de bijoux
Le triangle amoureux se disloque !
Découverte d'une poupée ensanglantée dans une baignoire
Une malédiction pèse-t-elle sur l'Océane ?

Stéphanie et sa mère se doutent que la journée sera pénible. Elle reçoivent même un coup de fil de son père qui s'est installé dans un petit appartement, juste au bout de la rue. Stéphanie, qui suit la conversation, l'entend reprocher à sa mère de ne pas surveiller d'assez près ce qui se passe à l'Océane.

— Je serais curieuse de te voir élever une adolescente tout en gérant une auberge ! dit madame Jacquier en éclatant en sanglots au téléphone. Tu passes ton temps en voyages d'affaires !

— Je resterai ici le temps nécessaire pour connaître le fin mot de cette histoire.

— Serait-ce une promesse ? demande sa mère d'un ton plein d'espoir.

— Tu peux compter sur moi.

Philippe appelle à son tour. Stéphanie s'attend à ce qu'il lui en veuille de sa confiance envers Daniel, mais sa colère semble uniquement dirigée contre son ancien ami.

— C'est ce dingue qui est responsable.

— Ainsi, tu penses que Daniel a pu faire tout ça même après avoir été emmené par les policiers ?

— N'as-tu pas dit qu'il t'a laissé un message te suggérant d'aller jeter un coup d'œil là-haut ?

— Oui...

Elle n'a pas dit à Philippe que Daniel l'a mise en garde contre lui. Il serait vraiment hors de lui s'il le savait.

— C'est clair comme de l'eau de roche ! Sa jalousie le rend fou.

— Peut-être bien...

C'est la seule explication qui lui paraisse sensée, mais ça ne ressemble pas à Daniel.

— Qu'entends-tu par « peut-être bien » ? Dis-moi, mon chou, tu n'es plus amoureuse de lui, n'est-ce pas ?

— Bien sûr que non, Philippe !

— Voilà ce que je voulais entendre. J'arrive tout de suite.

Stéphanie raccroche lentement le combiné. C'est en effet Daniel qui lui a conseillé d'aller dans cette chambre. Il a effectivement pu se procurer une clé, déposer le mouchoir et couvrir la poupée de peinture rouge. Mais tout ça ne lui ressemble pas du tout. Daniel ne ferait jamais une chose pareille.

Lorsque Philippe arrive, il insiste pour l'accompagner chaque jour au collège. Il grignote des beignes en attendant avec impatience que Stéphanie ait terminé son petit déjeuner.

Comme elle n'a pas bien dormi, elle ne se sent pas dans son assiette. Mais Philippe ne se rend compte de rien, et elle préfère ne rien dire de peur de le contrarier. Elle l'aime toujours beaucoup et tient à sortir avec lui, mais elle aimerait qu'il cesse de la surveiller. Ne peut-il pas la laisser respirer un peu ?

Il la dépose au collège avant de poursuivre sa route pour aller travailler.

— Si j'ai un peu de retard, pas de problème, lui dit-il. J'ai expliqué la situation à Thierry, mon patron. C'est un gars bien, il comprend.

Après les cours, sa mère aggrave encore les choses. Lorsque Stéphanie mentionne que Philippe et elle ont peut-être besoin de prendre un peu leurs distances, sa mère lui coupe la parole.

— Je ne sais pas ce que nous aurions fait sans lui ! Il agit comme un fils !

— J'admets que Philippe a été très gentil, mais...

— As-tu remarqué tout le temps qu'il nous consacre ? L'Océane coulerait sans son aide.

— Il travaille pour toi, maintenant ? demande Stéphanie, déconcertée.

— Il ne me demande pas un sou, ni à Isabelle. Nous avons mangé ensemble ce midi, et il m'a tout expliqué. C'est ton père qui nous a invités. Nous nous sentons tous beaucoup mieux maintenant.

Stéphanie est ahurie. Quand a-t-il offert ses services ? Elle essaie d'en savoir plus lorsqu'elle le voit, un peu plus tard, traverser vivement le jardin et se diriger vers la piscine.

— Philippe ! Qu'y a-t-il ? lui demande-t-elle.

— Laisse-moi passer, jeune fille, je vais être en retard, répond-il en l'embrassant rapidement.

Plusieurs enfants l'attendent autour de la piscine et, en le voyant, l'accueillent gaiement. Il alterne alors jeux de piscine et cours de natation. Stéphanie se joint à eux un petit moment, et Philippe lui explique que Thierry lui a permis d'offrir gratuitement ses services étant donné les récentes difficultés de l'Océane.

— Qu'est-ce que je t'avais dit ? Thierry est sensationnel.

Certains jours, Philippe donne des leçons de natation. Certains autres, il emmène les enfants à la plage ou au mini-golf, non loin de là. Un jour, Isabelle est venue offrir aux jeunes un cours de dessin.

Malgré tout, la plupart des touristes fuient l'Océane. Philippe redouble d'efforts. Le soir, il offre des cours de natation de niveau supérieur et des cours de natation récréative aux adultes. À l'occasion, il offre même gratuitement des cours de sauvetage ou de plongée à tous les clients de l'Océane. Et ses collègues des Services récréatifs Plif-Plaf viennent parfois lui donner un coup de main.

Stéphanie voit Philippe beaucoup plus souvent, maintenant. Il a réduit de moitié ses heures de travail dans les autres hôtels de l'île. Il passe le reste de son temps à aider sa mère à l'Océane ou à accompagner Stéphanie au collège et à aller l'y chercher.

Un matin, plutôt que de simplement déposer Stéphanie au collège, Philippe y entre avec elle. Dépassant le mât où il la laisse le plus souvent, il va garer sa voiture dans le stationnement réservé aux visiteurs.

— Que fais-tu ? Tu as une journée de congé ? lui demande-t-elle.

— Au contraire ! Aujourd'hui, je serai plus occupé que jamais !

Il reste délibérément vague et mystérieux et, lorsqu'elle interroge Sophie, Agnès et Vanessa, les jeunes filles n'en savent pas plus qu'elle.

Pas plus qu'Isabelle, d'ailleurs. Son père lui a demandé de rester quelques mois à l'Océane pour s'assurer que tout aille bien. Elle s'est donc inscrite en dernière année au collège de la Pointe-du-Bout.

Lorsqu'elle entend les annonces matinales, Stéphanie a enfin les réponses à ses questions.

Après l'annonce du menu du midi et des diverses activités prévues au cours de la journée, la voix de Philippe se fait entendre.

— Salut à tous, étudiants. Philippe d'Amours au micro. Je me souviens de cette époque passée à courir les rendez-vous, les *partys* et les matchs de football. Je me souviens même avoir passé quelques heures à étudier...

Rires.

— Avec si peu de temps libre, la vie d'étudiant en dernière année n'était pas facile.

— Ça, c'est vrai! approuvent les élèves en hochant la tête.

— Ce matin, je viens vous proposer un défi. Si vous croyez être débordés, je vous invite à travailler deux fois plus! Une famille a besoin de notre aide. Ici, sur notre île, un ancien domaine risque de couler, d'être vendu et peut-être démoli. Vous savez tous bien sûr que je parle de la famille Jacquier et de l'Océane.

Stéphanie rougit. Elle sent tous les regards posés sur elle. Mais Philippe continue sa harangue.

— La famille Jacquier risque de perdre la franchise leur donnant le droit d'exploiter l'Océane, ce domaine maintenant centenaire. Nous devons tous nous y mettre et faire l'impossible pour cette gentille famille et pour la fierté de notre communauté. Ceux qui aiment les plantes s'occuperont des jardins; si vous préférez la piscine, vous serez chargés de son entretien; les maniaques de la propreté pourront se charger des chambres. J'ai nommé ce projet: «Sauvons l'Océane»!

Des formulaires d'inscription sont distribués dans les classes, et les jeunes s'inscrivent sans tarder, qui au ménage, qui au jardinage, qui à l'entretien de la piscine. Les étudiants dotés de talents particuliers — peinture, plomberie, menuiserie, pose de papier peint — inscrivent leur nom sur une feuille distincte.

Stéphanie aimerait disparaître sous le plancher. Lorsque la cloche sonne pour annoncer le début du premier cours, elle se trouve entourée d'élèves qui ne lui ont jamais adressé la parole.

— Quelle honte, Stéphanie! Pourquoi ne nous as-tu rien dit?

— Je me souviens de ton *party*. Le domaine est vraiment très beau. Ce serait malheureux de le perdre!

— Quelle malchance! J'espère que tout ira mieux très bientôt!

Le temps d'arriver devant sa classe, Stéphanie se sent comme une nécessiteuse faisant la charité. Chaque élève l'arrête et lui débite un discours du genre «je-me-souviens-quand-mon-père-a-perdu-son-travail-et-je-sais-ce-que-tu-ressens».

«Où est passée ta fierté légendaire? Tu ne pouvais pas garder tes problèmes pour toi?» se dit-elle. Philippe ne lui a pas laissé la moindre parcelle de dignité. Elle se sent exposée aux regards. Tout le monde est maintenant au courant de ses propres problèmes et des difficultés pécuniaires de ses parents.

— Comment j'étais? lui demande Philippe en la croisant sur le chemin de la sortie.

— Oh! Très bien, je crois...

Elle ne veut pas le froisser. Il paraît si fier de lui, et sa mère ne jure que par lui. Pour une fois, elle doit faire abstraction de ses propres sentiments.

Il l'embrasse rapidement et part travailler. Elle devrait être fière de sortir avec un gars comme Philippe. Mais que lui arrive-t-il?

Isabelle surgit soudain près d'elle.

— Tu as de la chance de sortir avec un gars si adorable. Je n'en trouverai pas d'aussi gentil de retour en Angleterre, à moins d'en dénicher un dès maintenant.

Le discours d'Isabelle commence à ressembler à celui de sa mère.

— J'ai demandé à mon père d'être plus compréhensif et généreux. Mais ce n'est pas la gentillesse qui l'a fait arriver où il est aujourd'hui. Il insiste pour que l'Océane rapporte des profits, continue Isabelle en haussant les épaules en guise d'excuse. Mais je suis sûre qu'il appréciera le projet de Philippe. Il approuve les gens qui font preuve d'initiative et qui avancent à la sueur de leur front.

Stéphanie en conclut qu'elle doit être folle de ne pas apprécier les efforts de Philippe.

Le midi, elle chipote dans son assiette lorsque Sophie se laisse tomber sur la chaise voisine. Elle n'a rencontré Sophie que quelques semaines plus tôt et, pourtant, elle a l'impression de la connaître depuis des années.

— Sophie, que m'arrive-t-il? Tout le monde fait preuve d'une telle gentillesse, et moi, je broie du noir.

— Philippe est vraiment adorable. Et il a un tel charisme. Il a peut-être même toutes les qualités possibles. Mais, en ce qui me concerne, je me sens plus à l'aise avec Daniel. Philippe est toujours empressé. Daniel, lui, est plus nonchalant et détendu.

— Oh, Sophie! Qu'est-ce que je ferais sans toi? dit Stéphanie en serrant la main de son amie. Tu ne crois donc pas Daniel coupable?

— Nous en avons parlé et nous pensons toutes que c'est un gars bien, répond-elle en souriant.

Les efforts de tout le monde pour sauver l'Océane ne font que lui rappeler à quel point personne ne se soucie de Daniel. Les policiers l'accusent d'enlèvement et peut-être même de meurtre.

Ils ont trouvé de nouveaux indices qui accablent Daniel et dont les journaux ont largement fait état. Ils ont aussi découvert d'autres lettres de menaces adressées à Stéphanie et des plans de l'Océane dans la chambre à coucher de Daniel.

En attendant son procès, Daniel est mis en liberté provisoire sous caution. Ses parents réunissent la somme exigée en contractant une deuxième hypothèque sur leur maison.

Daniel annonce alors son retour au collège. « Il resterait chez lui s'il n'était pas innocent, se dit Stéphanie. Moi, c'est ce que je ferais. »

Si toutes les preuves accumulées le désignent, elles ne suffisent pas encore à l'inculper. Daniel ne se comporte tout simplement pas comme un criminel coupable d'un méfait.

Mais alors, pourquoi a-t-il avoué être coupable aux policiers ?

CHAPITRE 5

Des rumeurs circulent depuis plusieurs jours lorsque Daniel se présente enfin au collège. Ce matin-là, la nouvelle de son arrivée se propage dans le couloir.

Stéphanie essaie de déverrouiller le cadenas de son casier pour y prendre ses livres avant que Daniel n'apparaisse, mais elle se sent prise de panique. Ses doigts refusent de lui obéir, et le cadenas ne cesse de leur échapper.

Elle aperçoit Daniel au bout du couloir et retient sa respiration. Son cœur bat la chamade. Elle voudrait partir en courant, mais elle sait que tout le monde la regarde. Elle appuie alors son front contre son casier et tente de se calmer.

Le couloir devient soudain silencieux. Pendant quelques secondes, Stéphanie n'entend que les pas lents mais décidés de Daniel.

Des remarques fusent, déplaisantes.

— Meurtrier! Où as-tu planqué les corps?

— Te reste-t-il des bijoux à vendre? demande une fille.

— Que dirais-tu d'autres poupées ensanglantées? Ma petite sœur adorerait en avoir une! siffle un autre.

Les pas s'arrêtent derrière elle.

— Bonjour, Stéphanie, marmonne-t-il.

Stéphanie se retourne lentement pour lui faire face. Son visage est pâle, il a maigri. Il semble ne pas avoir fermé l'œil depuis des jours.

Mais avant que Stéphanie ait pu ouvrir la bouche, elle sent un bras entourer ses épaules.

— Philippe! Que fais-tu ici? demande-t-elle en humectant ses lèvres. Je te croyais au travail!

— Thierry m'a accordé une heure de liberté pour t'accompagner jusqu'à ta salle de cours, dit-il en souriant. Je lui ai expliqué la situation. Puis, en jetant un regard sombre à Daniel: Pourquoi l'ont-ils laissé sortir de prison? Peut-être s'est-il enfui?

Daniel reste silencieux.

— Ça suffit, maintenant! Ce n'est pas juste! dit Sophie en s'approchant de Daniel pour l'épauler. Personnellement, je ne crois pas un mot de toutes ces conneries, ajoute-t-elle en pointant un menton obstiné.

— Merci, Sophie, lui dit Daniel.

— Je n'y crois pas non plus, dit Agnès. Il n'aurait jamais pu faire de mal à Dorine, à Estelle ou à Magalie.

— Bien sûr que non! ajoute Vanessa. Il s'est tenu près de Stéphanie et ne l'a pas quittée avant d'aller lui-même à leur recherche.

Quelques sifflets s'élèvent de la masse d'étudiants réunie autour d'eux. Tous semblent attendre une confrontation et peut-être même une bagarre entre Philippe et Daniel. Quel spectacle!

— Quelle honte! dit Isabelle en s'avançant. N'est-on pas présumé innocent tant et aussi longtemps que la preuve de culpabilité n'est pas établie, dans ce pays? Si le juge l'a laissé sortir de prison, ça devrait vous suffire, ajoute-t-elle en dévisageant les jeunes rassemblés.

Quelques étudiants reculent et retournent à leurs casiers. Les manières et l'extrême politesse d'Isabelle en impressionnent beaucoup. Personne n'arrive à soutenir le regard de ses yeux violets.

À la pause-repas, Stéphanie écoute Sophie se plaindre de la mauvaise publicité qu'elle récolte pour avoir soutenu Daniel. On en veut tant à ce dernier que les élèves en viennent à éviter Sophie. Elle a même trouvé un serpent dans son casier.

— Je suis convaincue de l'innocence de Daniel, quoi qu'en dise la police. Enfin, quoi ? Je le connais. Et je croyais que tu le connaissais aussi, Stéphanie.

— Il ne s'est absenté que quelques minutes pour chercher les filles dans l'auberge, dit Agnès. Il n'a pu faire quoi que ce soit en si peu de temps !

— C'est vrai. Les policiers ont fouillé la maison de la cave au grenier, ajoute Vanessa. Ils n'ont rien trouvé.

Isabelle arrive au même moment, un plateau à la main.

— Je ne le connais pas très bien, c'est vrai, dit-elle. Alors j'attends de voir ce qui va se passer. La vérité finira bien par sortir.

Un peu plus tard, Stéphanie voit son père dans le bureau du directeur. Elle aimerait pouvoir disparaître. Son père ne réalise pas que tout le monde l'entend marteler le bureau et exiger à tout prix que l'on tienne Daniel à l'écart de sa fille. Monsieur Jacquier refuse de les voir dans la même classe. Il ne veut pas les voir partager la même pause-repas. Il exige que leurs casiers soient éloignés l'un de l'autre.

Tout le monde murmure et regarde Stéphanie. Elle sort du collège en courant jusqu'au terrain de sport, passe derrière les gradins et se dirige vers le boisé où elle se jette par terre près d'une mare après s'être débarrassée de son sac à dos.

La mare est presque à sec à cause de l'été long et chaud qui se prolongera certainement jusque tard en septembre. Le peu d'eau suffit à peine aux grenouilles et au menu poisson. Elle remue l'eau trouble et boueuse du bout des doigts et voit son reflet déformé à la surface de l'eau.

Un autre reflet surgit soudain à côté du sien et elle se fige, n'osant plus respirer. Une main se pose alors sur son épaule.

Stéphanie sursaute, lève les yeux et, interdite, reconnaît Daniel.

— Je te fais penser à Frankenstein, n'est-ce pas?

Stéphanie le regarde fixement.

— Tu sais, cette célèbre scène de la version originale du film où le monstre noie une fillette en train de jouer près de la mare.

— Je... je ne sais plus quoi penser, Daniel. Je me sens tendue, comme si quelque chose de terrible était sur le point de se produire.

— Tu me crois coupable?

— Le Daniel que je pensais connaître n'aurait jamais rien fait de tel. Mais tu as avoué avoir caché les bijoux et rédigé les messages que la police a trouvés. Je ne comprends plus.

— En réalité, je n'ai jamais caché les bijoux sous ton matelas. J'ai seulement transcrit les conversations téléphoniques au moment même où je me tenais dans le hall de l'auberge. J'ai entendu ce que tu as dit aux policiers.

— Et les bijoux?

— Je suis passé en acheter au *Coffre aux trésors* avant d'aller à l'auberge.

— Et l'arme?

— N'as-tu jamais vu un policier se faire détrousser?

— Mais... pourquoi?

— Je me suis douté de quelque chose dès que j'ai entendu parler des bijoux, à la radio. Tu serais incapable de voler quoi que ce soit! Et j'ai craint qu'on ne monte un coup contre toi. Je ne savais pas quoi faire d'autre pour te protéger, pour qu'on ait le temps de découvrir le coupable... pour arrêter Philippe.

— Pourquoi me parles-tu toujours de lui?

— Il me semble tourner un peu trop autour de toi.

— Tu dis ça parce que tu es jaloux.

— Peut-être. Le coupable est peut-être quelqu'un d'autre. Mais on essaie de faire porter les soupçons sur toi ou de te rendre folle. D'abord les bijoux, ensuite la poupée...

— Et ce message dans ma poche? Pourquoi m'as-tu suggéré d'aller dans cette chambre, là-haut?

— Lorsque j'ai fouillé la maison le soir du *party*, je suis sûr que quelqu'un y est monté. Il y avait des empreintes sur le sol.

— Les policiers ne les ont pas vues!

— On les aura nettoyées.

Ils restent tous deux silencieux.

— Tu t'inquiètes donc tellement pour moi? lui demande-t-elle enfin. Quand on sortait ensemble, tu semblais me tenir pour acquise. J'aurais aussi bien pu faire partie de ta collection de roches.

— Tu as beaucoup d'importance à mes yeux.

— Pourquoi n'as-tu rien dit? Rien fait?

— Je n'ai jamais pensé que tu pouvais t'en aller. Je te considérais un peu comme faisant partie de la famille. Je ne pensais pas devoir dire quoi que ce soit de particulier. J'étais persuadé que tu savais ce que je ressentais. Je suis stupide.

— Tu n'es pas stupide, Daniel. Avec tous ces policiers et ces étudiants qui s'acharnent contre toi, tu es la personne la plus courageuse que je connaisse.

— C'est peut-être ma façon de te montrer que je tiens à toi, à moins, bien sûr, qu'il ne soit trop tard.

Stéphanie se penche vers lui, et il l'embrasse maladroitement. Leurs nez se heurtent. Il l'attire alors contre lui et l'embrasse encore et encore, chaque fois plus passionnément.

Elle répond à ses baisers, oubliant tout le reste.

— Les voilà, sergent, nous les avons trouvés tous les deux, dit une voix cassante.

Stéphanie et Daniel se séparent, stupéfaits de se voir encerclés de policiers. Daniel tend la main vers elle.

— Suivez-nous, mademoiselle Jacquier. Et vous aussi, monsieur Émond. Nous vous emmenons au poste.

— Mais pourquoi ? demande Stéphanie.

— Il serait beaucoup plus simple de tout avouer, mademoiselle. Vous trempez tous les deux jusqu'au cou dans cette histoire. C'est évident.

CHAPITRE 6

Ce soir-là, Daniel et Stéphanie se font interroger au poste de police dans des bureaux distincts. Pour Stéphanie, c'est l'expérience la plus embarrassante qu'elle ait jamais vécue. Les policiers lui posent des questions d'ordre personnel et les considèrent, elle et Daniel, comme des objets. Personne ne semble croire la vérité.

Des journalistes la photographient devant le poste de police, la talonnent jusque chez elle et la suivent même au collège.

La situation au collège est déjà difficile à supporter; les élèves la traitent de traînée et pire encore.

Tout va si vite. Lorsqu'elle ne s'inquiète pas de la police, Stéphanie s'interroge sur ses sentiments à l'égard de Daniel. Elle croyait ne plus rien éprouver pour lui. Elle pensait aimer Philippe et personne d'autre.

Pourquoi a-t-elle embrassé Daniel? Et

pourquoi cela lui a-t-il plu? Comment peut-elle apprécier les baisers de celui que tout le monde croit coupable?

Ces pensées ne la quittent plus, ni en classe, ni à la pause-repas, pas même lorsqu'elle aide sa mère à l'Océane.

L'attitude de son père lui complique l'existence. Il accuse les policiers, prétend qu'ils n'ont pas surveillé Daniel d'assez près et que, maintenant, il a séduit sa fille.

Le lendemain, Philippe vient la chercher au collège et la raccompagne à l'auberge, comme les autres jours. Elle reste tassée sur son siège, s'attendant à se faire éjecter de la voiture. Mais Philippe se contente de bavarder de choses et d'autres et de son travail aux Services récréatifs Plif-Plaf. Il lui parle de la vague de chaleur, de Thierry et lui demande comment vont ses études.

Il essaie peut-être de voir combien de temps elle tiendra sans craquer. Soudain, Stéphanie n'en peut plus.

— Philippe, je suis désolée à propos de Daniel. Je... je ne sais pas ce qui m'a prise.

Philippe sourit comme s'il ne s'était rien passé.

— Ne t'inquiète pas, dit-il en atteignant l'entrée de l'Océane. Je vais m'occuper de lui.

Stéphanie sent un frisson remonter son épine dorsale.

En entrant dans l'auberge, Stéphanie surprend Isabelle, Sophie, Vanessa et Agnès en train de se rafraîchir à la piscine. Elle va enfiler son maillot de bain et rejoint ses amies.

— J'ai besoin de votre aide, les filles, dit Philippe. Aidez-moi à convaincre Stéphanie d'organiser un autre *party*.

Vanessa le regarde, interdite.

— J'en serais incapable ! dit Stéphanie en pâlissant.

— Ça pourrait porter malheur, non ? demande Sophie. Ce serait un peu comme chercher à tenter le sort.

— Je crois, oui, dit Agnès en cachant ses boucles blondes sous son bonnet de bain.

— Il faut lui remonter le moral, dit Philippe en enlevant son t-shirt avant de sauter dans la piscine.

— L'eau doit être assez chaude, dit Isabelle en changeant de sujet. Il n'a pas plu depuis mon arrivée.

Elle plonge et fait, sous l'eau, une longueur de la sombre piscine.

Philippe fait la planche à l'extrémité la plus profonde. Il ne cesse de parler de tout ce qu'ils pourraient faire pour rétablir la réputation de Stéphanie, d'autant plus mal en point que Daniel l'a « embêtée ».

— On pourrait faire la fête, explique-t-il. La police a mis la main sur le ravisseur, n'est-ce pas? Tout le monde sait que Daniel est coupable, ajoute-t-il en lançant un regard lourd de signification à Stéphanie. Pourquoi ne pas agir normalement? Organiser un autre *party* serait le meilleur moyen d'y arriver.

Agnès, Sophie, Vanessa et Stéphanie s'échangent un regard. Elles sont toutes convaincues de l'innocence de Daniel.

— Philippe, ne peut-on pas simplement sortir nous-mêmes de cette situation? demande-t-elle d'un ton nerveux.

— Tu ne peux pas fuir cette situation, Stéphanie. Tu dois te redresser et te battre.

Philippe et Isabelle entreprennent de dresser une liste d'invités. Isabelle promet de financer la soirée qu'elle veut encore plus élaborée que la première.

Tandis que Stéphanie est à moitié perdue dans ses pensées, son regard est attiré par un éclat de lumière dans le grand bain. La lumière semble scintiller à la surface sombre de l'eau. Cette fois encore, elle déchiffre presque les initiales C. W. Soudain, l'éclat disparaît, et personne ne semble l'avoir remarqué.

Elle n'entend pas tout de suite Philippe qui l'appelle.

— Viens, Stéphanie! L'eau est bonne!

Elle se secoue, consciente d'avoir rêvé. Ses amis la regardent d'un drôle d'air.

Elle se glisse lentement dans l'eau peu profonde et commence à nager vers Philippe et Isabelle qui s'agrippent tous deux au bord de la piscine. Elle devrait peut-être leur expliquer pour quelle raison elle ne veut pas organiser un autre *party*. Ils ne savent pas tout. Ils n'ont surtout aucune idée des choses étranges que seule Stéphanie a vues et entendues.

Mais comment en parler sans passer pour folle ? Elle ne peut pas leur dire : « Ne pensez-vous pas que nous devrions rester tranquilles un moment ? Je veux dire... juste pour voir si un autre malheur se produit ? Il se dégage une terrible atmosphère de cette maison... Cette poupée pleine de sang... C'est peut-être un avertissement, une façon de nous dire que quelqu'un d'autre va disparaître ou se faire attaquer. »

Nager dans cette eau lisse et sombre lui donne la chair de poule. Elle ne voit pas le fond de la piscine. Elle a l'impression que quelque chose l'attend à l'extrémité la plus profonde.

Stéphanie fait un signe de la main à Philippe, prend une grande inspiration et plonge sous l'eau. C'est le dernier geste dont elle se souvient. Quelque chose l'a attrapée par la cheville et l'a entraînée au fond de l'eau.

Stéphanie se débat. Quelque chose s'est enroulé autour de ses jambes. Plus elle lutte, plus ça se resserre. Elle bat l'eau de ses bras et de ses jambes. Entourée de tant de noirceur, comment trouver la surface?

Elle sent subitement des bras se refermer autour de sa taille et la tirer vers la lumière.

Elle fend la surface en recrachant de l'eau et en prenant de grandes goulées d'air. Des bras puissants la sortent de l'eau et l'étendent au bord de la piscine. Elle devine le visage de Philippe au-dessus d'elle. Puis ceux d'Isabelle, de Sophie, de Vanessa et d'Agnès.

— Quelqu'un a essayé de me tuer, leur dit-elle enfin.

— Ressaisis-toi! dit Philippe en secouant la tête. Ce n'était que l'aspirateur de la piscine. Le tuyau s'est enroulé autour de toi.

L'aspirateur! À leur arrivée à l'Océane, sa mère a acheté ce qui se fait de mieux en fait d'équipement de nettoyage. C'est un aspirateur sous-marin relié au filtre de la piscine par un long tube en plastique flexible et extensible. Sa mère et elle savaient qu'elles n'auraient pas le temps de nettoyer elles-mêmes la piscine.

Cet aspirateur est censé être un outil pratique et non un instrument de torture. Que se passe-t-il donc? Quelqu'un essaie-t-il de la rendre folle?

Stéphanie pense aux initiales dorées C. W. qu'elle a aperçues quelques jours plus tôt et encore aujourd'hui, dans le grand bain de la piscine. Est-ce un effet du soleil? Ou est-ce l'aspirateur?

— Te sens-tu mieux? lui demande Isabelle de son petit accent britannique. Ces jours derniers ont de quoi te rendre nerveuse.

— Voilà qui règle la question! dit Philippe. Je ne veux rien entendre! Nous organisons ce *party* autour de la piscine!

Agnès, Sophie et Vanessa ne se sentent pas plus à leur aise que Stéphanie.

Tous viennent l'aider à la cuisine. Philippe, qui connaît bien les lieux, va chercher du Coke.

— Voilà de quoi rafraîchir tout le monde, dit-il.

Stéphanie commence à se détendre et elle arrive même à rire de sa mésaventure. Mais elle se sent subitement fatiguée et éprouve le besoin d'aller se reposer. Sa fatigue des derniers jours est peut-être due à toute cette tension.

C'est étrange, elle qui n'a jamais été portée à faire la sieste.

— Si vous aviez entendu tout ce bruit, la nuit dernière, dit-elle en bâillant. Des clients sont arrivés vers minuit. Je suis épuisée.

C'est l'un des aspects les plus difficiles et

qui lui fait regretter l'époque où elle vivait avec ses parents dans une maison ordinaire et non dans un domaine transformé en auberge. Mais pour sa mère, c'est le meilleur moyen de remplir les chambres : les touristes fatigués repèrent vite le panneau « chambres libres ».

La nuit dernière, madame Jacquier a laissé la réception ouverte jusqu'à minuit. Les touristes ont fait du bruit en s'installant et en traînant péniblement leurs bagages dans l'escalier.

La plus belle chambre, celle de la tour située directement au-dessus de la sienne, est souvent choisie la première. Elle est rarement libre lorsqu'il y a des clients.

Les clients ont continué à faire du vacarme après avoir pris possession de la chambre. Ils ont ouvert tout grand le robinet de la douche et ont même paru déplacer des meubles. Ce tapage a duré une bonne partie de la nuit.

Tout le monde a les yeux tournés vers le plafond lorsque madame Jacquier traverse la cuisine. Isabelle se tourne vers elle.

— Nous devrions fermer la réception plus tôt, lui dit-elle.

— Mais nous avons déjà si peu de clients !

— Ceux qui sont arrivés tard hier soir ont tenu Stéphanie éveillée.

Madame Jacquier regarde sa fille d'un air étonné.

— Que veux-tu dire, ma chérie ? Nous n'avons eu aucun client hier soir.

Mais, comme si ça n'allait pas déjà assez mal, d'autres soucis attendent très vite Stéphanie. Le lendemain, en revenant du collège, elle trouve sa mère en train de l'attendre, un petit sourire mielleux aux lèvres, signe qu'elle a un service à lui demander.

— Ma chérie, ferais-tu visiter le domaine à nos nouvelles clientes ?

Plusieurs femmes âgées qui viennent d'arriver forment un cercle autour d'elles. Leurs bagages encombrent le hall d'entrée.

— Qui est-ce ? murmure Stéphanie.

— Des voyantes en congrès, lui chuchote sa mère en retour. Le genre de personnes qu'attirent les lieux où se sont déroulés des crimes. Mais au moins, il s'agit de clientes payantes. Ménage-les.

— Chère petite, nous aimerions que vous nous fassiez visiter les lieux, dit l'une d'elles à Stéphanie. Les adolescentes comme vous sont souvent en contact avec le monde des esprits.

Stéphanie gémit intérieurement et regarde sa mère, l'air de dire : « Tu y tiens vraiment ? »

Sa mère lui envoie un sourire forcé.

Elles n'ont pas atteint le milieu de l'escalier qu'une femme au nez rouge et proéminent pousse un petit cri.

— C'est une zone froide comme je n'en ai encore jamais ressenti dans ma vie.

— Une zone froide ? dit Stéphanie en se demandant si elle doit s'excuser pour l'air climatisé.

— Oui. Elle indique la présence d'un fantôme. Ne savez-vous pas, jeune fille, que cette maison est l'une des plus célèbres maisons hantées de l'île aux Crabes ?

C'est ce qu'avait dit Rachel au *party*.

Stéphanie les dirige vers l'étage supérieur et leur fait visiter une chambre après l'autre. Les vieilles femmes gloussent et disent sentir la présence de l'esprit d'une femme très malheureuse dans la maison.

— Avez-vous déjà entendu quelqu'un pleurer la nuit ? demande une petite femme replète à Stéphanie.

— J'entends une foule de choses. Les touristes sont nerveux, surtout s'ils ont fait trop de route pendant la journée.

Les vieilles femmes opinent de la tête, l'air solennel.

Stéphanie leur montre enfin la chambre flanquée de la tour. Les vieilles femmes y entrent, examinent la baignoire, s'assoient dans les fauteuils. L'une d'elles s'étend même sur le lit, tandis qu'une autre est immédiatement attirée par la poupée.

— Regardez! Elle a de véritables cheveux! Elle ressemble tout à fait à une jeune fille.

Elles se rassemblent toutes et font passer la poupée de mains en mains.

— Vous pouvez emporter cette poupée avec vous, si vous voulez.

— Nous n'oserions jamais! dit la femme au gros nez. Cette chambre est la sienne. Elle vit ici pour une raison précise.

Stéphanie n'aime pas se faire dire que la poupée «vit» dans cette pièce.

Les vieilles femmes tapotent alors les fenêtres et les murs, semblant attendre une réponse de l'au-delà. L'une signale une zone froide dans la salle de bains; une autre en découvre une dans l'escalier en colimaçon.

C'est l'endroit que Stéphanie aimerait à tout prix éviter, mais elle les suit dans l'escalier. La porte de la tour est verrouillée. Elles ne peuvent donc pas sortir sur le balcon.

— Le fantôme érige un mur. Il ne veut pas nous laisser le franchir. Quelque chose de terrible a dû se produire ici, dit l'une des congressistes.

Les vieilles femmes n'ont enfin plus de questions à poser à Stéphanie sur ses contacts avec l'«au-delà». La visite prend fin, et elles partent entreprendre une séance dans le grand salon.

Stéphanie sort pour fuir toutes ces clientes et va se promener dans les jardins. C'est alors qu'elle aprçoit quelqu'un sur le balcon.

C'est Isabelle. Personne d'autre n'a de longs cheveux noirs et brillants. Est-ce pour cette raison que la porte était verrouillée ? Parce qu'Isabelle était déjà sur le balcon ?

Elle a installé son chevalet et y a fixé une toile. Mais Isabelle examine la cime des arbres à l'aide de jumelles.

Stéphanie lui fait un signe de la main et essaie d'attirer son attention. Elle voit alors Isabelle sortir un petit objet de sa poche et le lancer dans la partie la plus profonde de la piscine.

Stéphanie regarde Isabelle ramasser ses affaires et quitter le balcon. Une fois certaine qu'Isabelle est partie, elle va chercher la grande épuisette et sort l'objet de l'eau.

C'est un couteau dont la lame tranchante en dents de scie luit au soleil. Le couteau, en or massif très lourd, paraît ancien. Son manche est gravé aux initiales C. W.

C. W. Les mêmes initiales que celles brodées sur le mouchoir ou étincelant au fond de la piscine. Et les voilà encore, sur un couteau cette fois.

CHAPITRE 7

Le lendemain, Isabelle agit de façon tout à fait normale lorsqu'elle croise Stéphanie au collège. Elle ne dit rien de l'incident, et Stéphanie ne sait pas comment aborder le sujet au cours de la conversation. Elle aimerait avoir rêvé ou avoir été victime d'hallucinations, mais le couteau est maintenant caché dans le tiroir de sa commode. Elle aurait aimé le transmettre à la police, mais l'Océane ne survivrait pas à de nouvelles rumeurs.

Stéphanie trouve enfin le courage de demander à Isabelle de quelle façon elle avait occupé son après-midi de la veille.

— Oh! J'ai fait une petite sieste! ment Isabelle avec une telle aisance que Stéphanie en est outrée.

Stéphanie se met alors à observer plus attentivement cette fille récemment arrivée d'Angleterre. Est-elle vraiment celle qu'elle prétend être ?

Stéphanie quitte plus tôt le cours de gymnastique, qu'elle suit en compagnie d'Isabelle, et se précipite vers le vestiaire où elle partage un casier avec la jeune fille. Ouvrant la porte du casier, elle aperçoit ce qu'elle est venue chercher. Elle fouille le sac de sa compagne et met la main sur un permis de conduire au nom de Sandrine Roy et non d'Isabelle Carignan, et émis non pas en Angleterre, mais au Nouveau-Brunswick !

La jeune fille sur la photo d'identité ressemble un peu à Isabelle. Seulement, ses cheveux ne sont pas noirs mais châtains ; ses yeux paraissent bleus et non violets. De plus, la jeune fille sur la photo porte des lunettes en écaille qui ne sont pas du tout le genre d'Isabelle.

Sa curiosité piquée, Stéphanie se précipite dans la chambre d'Isabelle une fois de retour à l'Océane après les cours. Elle y voit le carnet de croquis et y découvre un dessin particulièrement sanglant. C'est un portrait en couleurs de la poupée ensanglantée telle que Stéphanie l'a trouvée dans la baignoire.

Le carnet comporte de nombreux croquis de la piscine. Isabelle en a exagéré la forme déjà particulière. Stéphanie découvre aussi des peintures des bijoux volés à Dorine,

Estelle et Magalie le soir du *party*. Il y a même un croquis des vieilles femmes se tenant toutes par la main autour d'une table du salon. C'est un dessin de leur séance de spiritisme !

Stéphanie continue de feuilleter le carnet.

Elle tombe alors sur un dessin la représentant en train de lutter sous l'eau, le tuyau de l'aspirateur de piscine enroulé autour de ses jambes. Un autre croquis représente les jeunes filles disparues. Mais que se passe-t-il donc ?

Stéphanie lâche le carnet comme s'il lui brûlait les doigts. Elle sort de la chambre en courant pour se trouver nez à nez avec Isabelle !

— Je peux t'aider ? lui demande celle-ci comme si le fait de voir Stéphanie sortir de sa chambre n'avait rien d'extraordinaire.

— Je... je pensais avoir oublié quelque chose chez toi. Désolée !

— Je parie que tu aimerais voir mes croquis, ajoute Isabelle en la repoussant à l'intérieur de sa chambre. Elle lui montre alors un dessin qu'elle n'a encore jamais vu. C'est, à n'en pas douter, une peinture du vieux couteau. Isabelle est-elle en train de se moquer d'elle ? Sait-elle que Stéphanie est en possession du couteau ?

— Je l'ai perdu l'autre jour. Tu sais, je

collectionne des objets comme celui-ci, ajoute-t-elle d'une voix monotone comme si elle parlait de la pluie et du beau temps.

Stéphanie invente une excuse et se précipite dans sa propre chambre dont elle claque la porte derrière elle.

Elle décide d'appeler Sophie. C'est une personne sensée. Elle saura quoi faire.

— J'ai moi-même observé le comportement étrange d'Isabelle, lui dit Sophie. On suit les mêmes cours. Elle reçoit de nombreux appels et, quand elle revient en classe, elle ne dit jamais où elle était.

— C'est son père qui l'appelle, ou quoi ? Et le professeur ne dit jamais rien ?

— Tu n'y penses pas ! Une étudiante aussi riche qu'elle ! Le prof doit avoir peur de se faire renvoyer s'il ouvre la bouche !

— Je suis heureuse que quelqu'un d'autre ait remarqué son comportement. Garde les yeux grands ouverts.

Stéphanie appelle aussi Agnès et Vanessa. Son instinct de journaliste a poussé Vanessa à suivre Isabelle. Elle pense que la mystérieuse Anglaise pourrait faire l'objet d'un article. Vanessa explique à Stéphanie que la jeune fille disparaît parfois pendant des heures et réapparaît soudain au collège. Il lui arrive même de monter en voiture avec des étrangers.

— Tu sais qu'elle teint ses cheveux? lui annonce Agnès. L'autre jour, dans les toilettes des filles, j'ai remarqué que ses racines étaient brunes. Mais ce matin, elles étaient redevenues noires. Elle a dû les teindre la nuit dernière.

— Oh? dit Stéphanie. Voilà qui expliquerait la photo trouvée dans le sac d'Isabelle.

— Elle porte aussi des verres de contact. Elle en a perdu un en classe l'autre jour. Un des garçons s'est promené à quatre pattes pour le chercher.

— Tu n'as pas remarqué la couleur de son œil sans lentille, par hasard?

— Quoi? Tu veux dire qu'elle porte des verres de contact pour changer la couleur de ses yeux? laisse échapper Agnès.

— Je ne sais pas.

Une foule de choses déconcerte Stéphanie depuis quelque temps. Au collège, certains étudiants refusent de lâcher prise. Ils continuent de la traiter de tous les noms et l'accusent d'avoir aidé Daniel à enlever les filles les plus populaires parmi les finissants de la Pointe-du-Bout et d'avoir volé leurs bijoux.

Stéphanie ne sait plus quoi dire. Ses sentiments envers Daniel sont plus embrouillés que jamais. Elle doit reprendre sa vie en mains, seulement elle ne sait pas comment y arriver. Mieux vaut ne pas penser à Daniel.

C'est là le plus difficile. En attendant son procès, les policiers escortent Daniel entre sa maison et le collège, mais elle le voit tous les jours. Il doit s'être rendu compte à quel point le simple fait de le regarder la trouble. Chaque fois, elle se détourne et rougit.

En classe, Daniel lui fait parvenir un message lui suggérant de dire à tout le monde qu'elle ne l'a pas réellement embrassé mais qu'il a sauté sur elle.

Stéphanie lui lance un regard. Il n'a rien compris. Ses baisers lui ont vraiment plu. Et c'est d'ailleurs ce qui la bouleverse. Ils ne se quittent pas des yeux, mais ils ne peuvent se parler.

Philippe ne cesse de la harceler pour qu'elle invite tous les finissants à son «nouveau» *party*. Cette fois, il n'y aurait pas de cartons d'invitation. Trois de leurs camarades de classe ont disparu; le criminel a été arrêté. Tout le monde a besoin de se détendre.

Stéphanie cède enfin. Elle prend la parole au collège et invite tous les finissants à l'Océane pour le samedi suivant. L'annonce la rend de nouveau populaire, comme l'a prédit Philippe. Des cris s'élèvent des salles de classe avant même qu'elle n'ait fini de parler. Après son cours, elle se fait assaillir dans le couloir.

— Tu es géniale, Stéphanie! lui disent-ils en lui tapant gentiment l'épaule. Tout le monde adore ton idée. C'est un excellent moyen de mettre un terme à ce cauchemar.

— Il fait si chaud! dit Rachel, la fille du maire. C'est tout ce dont j'ai envie. Sauter dans cette piscine et me rafraîchir.

— Elle est peut-être noire et de forme bizarre, dit un autre, mais c'est la plus grande piscine de l'île.

C'est Daniel qui a finalement le dernier mot en collant un message sur son casier: *Annule le* party. *Ne l'organise sous aucun prétexte. Trois filles ont déjà disparu.*

CHAPITRE 8

Philippe obtient de plus en plus de temps libre pour accompagner Stéphanie au collège, aller l'y chercher et même manger avec elle, le midi à la cafétéria. Il vient chez elle directement après les cours. Elle lui fait la remarque que son patron est vraiment très compréhensif.

— Il est super! dit Philippe en souriant. Tu dois à tout prix le rencontrer.

Il lui annonce qu'ils organisent — lui, Thierry et ses collègues des Services récréatifs Plif-Plaf — un *party* ce soir même sur la plage.

— Tu veux venir? On forme tous une grande famille heureuse.

— C'est que... j'ai beaucoup de devoirs et...

— Tout ça ne ressemble pas à ma petite chérie! dit-il en posant son bras autour de ses épaules et en l'embrassant.

Il a raison. Il y a quelques semaines, elle aurait sauté sur l'occasion de passer plus de temps avec lui. Elle n'aurait pas inventé une telle excuse. Stéphanie n'est pas très portée sur l'auto-analyse. Mais elle se demande pourquoi elle a tenté d'échapper à cette sortie.

— Tu as raison. J'aimerais beaucoup y aller, dit-elle en essayant de lui sourire.

— Super! Je passe te prendre à dix-neuf heures.

À dix-neuf heures précises, Stéphanie se retrouve dans la fourgonnette de Philippe, en route pour la plage. Ils prennent de la vitesse une fois arrivés sur la grand-route.

— Hé! Il n'y a pas le feu! Enfin, on ne risque pas d'arriver en retard, dit Stéphanie en jetant un coup d'œil à Philippe.

— Je voulais simplement vérifier à combien peut rouler cette voiture sans policiers autour.

Elle n'a encore jamais vu Philippe dépasser la limite de vitesse. Il est vrai que tout le monde semble agir de façon étrange ces jours derniers.

Elle se cramponne à son siège tandis qu'il prend un virage à toute allure. Contrairement à une voiture sport, la fourgonnette n'est pas exactement conçue pour ce genre d'exercice.

— Tu sais, je ne serai pas toujours pauvre, lui dit-il soudain. Je vais trouver un travail plus intéressant et bien gagner ma vie. Avec un peu de chance, je ferai peut-être même de vraies trouvailles.

Il hausse les épaules et, non sans alarmer Stéphanie, il en oublie un moment de tenir le volant.

— Qu'entends-tu par «vraies trouvailles»?

— Il y a des centaines d'années, de nombreux naufrages se sont produits le long de cette côte. Des navires espagnols. Les fins de semaine, j'aime bien aller plonger avec mes amis pour voir ce qu'on peut y trouver. Ouais. C'est payant. Si on trouve quelque chose, l'État en garde la moitié et le reste nous appartient.

Philippe ne cesse de l'étonner depuis quelques jours.

Lorsqu'ils atteignent enfin les dunes, Stéphanie se sent vraiment soulagée. Les amis de Philippe, Rémi, Patrick et Julien, et leurs splendides petites amies en bikini les entourent immédiatement. Le jeune homme qu'elle ne connaît pas doit être Thierry, le patron de Philippe.

Thierry vient spontanément lui serrer la main. Il arbore un bronzage cuivré et des cheveux bruns tout bouclés. Il porte un anneau en or à l'oreille. Il semble avoir à peine fini ses études et, pourtant, il possède déjà sa propre entreprise.

— Je vous remercie d'avoir été si compréhensif ces jours-ci, lui dit-elle tandis qu'ils se dirigent tous vers le feu de camp allumé sur la plage.

— N'en parlons plus, lui dit Thierry en lui tendant une assiette. On se considère tous comme une famille. À chacun sa part. On se soucie les uns des autres.

Thierry sourit à Philippe et lui donne une tape dans le dos.

Stéphanie regarde autour d'elle et soupire. Le feu de camp la met mal à l'aise. Les feux sont interdits sur les plages, et elle ne tient pas du tout à avoir de nouveaux problèmes avec la police. Ses parents n'hésiteraient sans doute pas à la scalper !

Chacun remplit son assiette. Ils ont apporté des glacières remplies de porc épicé cuit au barbecue, de ragoût et de galettes de maïs fumantes. Stéphanie en a l'eau à la bouche. Mais lorsqu'elle cherche une boisson gazeuse dans une autre glacière, elle n'y trouve que de la bière.

Elle n'a subitement plus faim. Elle pose son sandwich et se contente de regarder le feu.

L'une des jeunes filles sort un jeu de cartes et ils entament tous une partie de poker. Ils misent de l'argent. Thierry a apporté sa propre liasse de billets de cent dollars tout neufs. Stéphanie n'a jamais vu tant d'argent à la fois! Il change de mains si rapidement qu'elle en est étourdie.

Ils discutent des moyens d'étendre les Services récréatifs Plif-Plaf. Ils parlent tous de la façon dont ils deviendront riches, un jour, et des voitures qu'ils pourront s'offrir. Ils parlent avec fierté de l'étendue de leurs futurs domaines et disent vouloir acheter des terrains pour y construire des condos.

Bien qu'elle se sente prude, Stéphanie est horrifiée de les voir miser leur argent. Elle s'excuse auprès d'eux et s'éloigne jusqu'à la mer, les yeux tournés vers le large alors que la nuit commence à tomber. À quel point connaît-elle Philippe s'il a de tels amis? C'est donc comme ça qu'il s'amuse?

Quelqu'un l'attrape soudain par la taille et l'attire sur le sable. Elle pousse un cri. Des lèvres gourmandes s'emparent des siennes. Elle repousse suffisamment Philippe pour pouvoir distinguer son visage dans la pénombre. Il empeste l'alcool.

— Allons, mon chou. Qu'est-ce qui ne va pas? Tu ne m'aimes plus? dit-il en tripotant maladroitement les bretelles de son maillot de bain.

— Philippe! Non! Laisse-moi!

Elle se sent prise de panique.

— Tu ne m'aimes pas ?

Elle le persuade enfin d'arrêter. Lorsqu'elle s'assoit et tourne les yeux vers le feu de camp, celui-ci est abandonné. Les autres couples se sont éparpillés dans les dunes de sable. Elle perçoit même un gloussement ici et là.

— Raccompagne-moi à la maison, dit-elle.

— Je sais ce qui t'arrive, dit Philippe. Tu préfères Daniel.

Elle est sur le point de protester quand elle réalise que c'est vrai.

Le lendemain matin, Philippe lui téléphone et lui présente des excuses. Il prétend que la veille il n'était pas lui-même. Il lui envoie même des roses, ce qui ravit sa mère qui n'arrête pas de vanter les qualités du jeune homme et de dire à quel point Stéphanie a de la chance de sortir avec lui.

Stéphanie, elle, ne pense qu'à son besoin désespéré de parler à Daniel.

Le lendemain soir, Stéphanie se couche de bonne heure. Il lui semble n'avoir dormi que quelques minutes lorsqu'elle se réveille. Elle regarde son réveil. Minuit. C'est alors qu'elle entend les voix.

Elle entrebâille sa porte et jette un coup

d'œil à l'extérieur. Rien. Elle emprunte le couloir et va sur la pointe des pieds jusqu'à la réception plongée dans l'obscurité. Pas âme qui vive.

Les portes avant sont grandes ouvertes. C'est étrange. Sa mère verrouille généralement toutes les portes avant d'aller se coucher.

Stéphanie se glisse dehors, l'oreille tendue. Elle entend encore faiblement les voix. Apercevant alors une lumière dans l'enceinte de la piscine, elle se tapit derrière un buisson, le souffle coupé, en cherchant à comprendre ce qu'elle voit.

Plusieurs filles sont rassemblées en cercle, assises près de l'extrémité la plus profonde de la piscine. Elle perçoit à peine leurs visages à la lueur de la lanterne. Mais elle reconnaît leurs voix.

Isabelle est assise là. Près d'elle, Sophie. Puis Agnès et Vanessa. Que peuvent-elles bien faire à cette heure de la nuit ? Pourquoi ne l'ont-elles pas invitée ? Elles sont toutes liées par le pacte, à l'exception d'Isabelle. Chacune d'elles a accepté de tout raconter aux autres.

Sophie, Agnès et Vanessa n'apprécient même pas Isabelle. Et voilà qu'elles agissent comme si elles étaient ses meilleures amies !

Que mijote Isabelle ? Les autres ne

seraient pas ici à cette heure si elle ne les avait pas invitées.

Stéphanie se faufile jusqu'à la maison puis retourne dans sa chambre. Elle a du mal à s'endormir mais, lorsqu'elle y arrive, elle se prend à rêver à une très belle femme aux longs cheveux blonds. La femme est vêtue d'une longue robe à l'ancienne et elle pleure, assise au bord du lit. Les pleurs continuent. Stéphanie remue, se tourne et s'éveille, tout en sueur.

C'est enfin le matin. La pâle lueur de l'aube filtre par la fenêtre. La poupée de la chambre du haut est assise sur une chaise à côté du lit de Stéphanie, les yeux posés sur elle.

CHAPITRE 9

Quelqu'un jaillit derrière Stéphanie et pose ses mains sur les yeux de la jeune fille qui pousse un cri.

— Ch-h-h-ut! C'est moi, dit Philippe en la tournant entre ses bras pour l'embrasser sur le front. Écoute... euh... je suis désolé... j'ai... je me suis laissé entraîner l'autre soir. C'est tout. Je tenais à te le dire, dit-il en haussant les épaules.

— Ça va, répond-elle en évitant son regard. Je suis seulement nerveuse, enfin, je crois.

— Pourquoi? Un garçon n'aime pas se faire dire qu'il rend sa copine nerveuse.

— C'est ce *party* qui me rend nerveuse.

Les yeux bleus de Philippe lancent des éclairs. Il tend la main et effleure son menton.

— Ce *party* est censé être une fête. Les

policiers ont mis la main sur le criminel et tout le monde souhaite s'amuser.

Mais Stéphanie doute que la police ait attrapé la bonne personne. Elle ne peut pas croire que Daniel ait pu faire ça.

— Je ne peux pas m'empêcher de penser au premier *party*, dit-elle.

— Tu l'oublieras après-demain soir.

Philippe l'attrape par la main et l'entraîne derrière lui.

— Où allons-nous ? lui demande Stéphanie.

— Chez McDo. Je n'ai pas beaucoup d'argent sur moi, aussi on va s'offrir des yogourts glacés.

Philippe l'a déjà installée sur le siège du côté passager et a fermé la portière. Il se glisse derrière le volant et démarre. C'est comme au début de leur relation, lorsqu'ils partaient n'importe où, pour le plaisir. C'est ce qui l'a d'abord attirée chez lui. Il est détendu, bon vivant et amusant.

Il tend la main et lui donne une petite tape sur la cuisse.

— Tu t'es morfondue ces derniers temps et tu as beaucoup trop maigri. Tu dois faire plus attention à ta santé.

Stéphanie est véritablement émue. Elle éprouve ce qu'elle a ressenti en tombant amoureuse de Philippe. Il paraît si puéril et insouciant avec ses yeux bleus qui lancent des éclairs, ses cheveux blonds qui tombent dans ses yeux et son bronzage. Elle se demande parfois si elle l'a déjà vu porter autre chose que ce t-shirt « La vie, c'est la plage », ce maillot de bain et ces sandales.

Ils passent au service-au-volant, commandent des cornets et arrêtent la voiture dans le stationnement. Philippe baisse sa vitre et laisse la brise souffler dans la fourgonnette. Il croise ses jambes sur le tableau de bord en léchant son cornet.

— J'ai une surprise !

— Oh ? fait Stéphanie en essayant d'avoir l'air aussi détendue que son ami.

— J'ai une nouvelle perspective d'emploi. Je devrais commencer très bientôt.

— Ah oui ?

— J'ai promis de ne pas en parler tant que l'offre n'est pas ferme. Tout ce que je peux te dire, c'est que je gagnerai beaucoup plus d'argent. Notre relation pourra très bientôt devenir sérieuse.

Stéphanie ressent une bouffée d'émotion qu'elle ne veut pas chercher à comprendre.

— Je t'ai acheté quelque chose pour te permettre de tenir jusque-là. Il enfonce sa main dans sa poche et lui tend une bague : « Maintenant, c'est très sérieux entre nous. »

Stéphanie examine le bijou. Aucun doute,

ce n'est pas une bague de pacotille. Si elle ne se trompe pas, c'est une bague en or quatorze carats sertie d'un saphir authentique.

Mais les initiales C. W. sont gravées de façon nette à l'intérieur de l'anneau.

Ces initiales C. W. qu'elle a vues briller à la piscine ; celles gravées sur le couteau et brodées sur le mouchoir.

— Qu'est-ce qui ne va pas, Stéphanie ? Tu ne l'aimes pas ? l'entend-elle lui demander.

— Philippe, que signifient ces lettres CW ?

— Pas la moindre idée, dit-il en haussant les épaules. C'est peut-être une marque de commerce.

— Où l'as-tu achetée ?

— À la bijouterie *Le Coffre aux trésors*. Elle a du mal à avaler sa salive.

Philippe insiste pour qu'elle montre la bague à sa mère. Madame Jacquier s'extasie sur le bijou, sort son mouchoir et se met à pleurer comme si sa fille était déjà bel et bien fiancée.

Après le départ de Philippe, Isabelle descend bavarder jusqu'à l'heure du coucher. Stéphanie essaie d'agir comme si tout était normal, bien qu'elle trouve extrêmement difficile de vivre dans la même maison que la jeune fille. Isabelle commence à porter sur les nerfs de Stéphanie qui n'arrive pas à se défaire de ce sentiment.

Cette nuit-là, Stéphanie se tourne et se retourne dans son lit. Une belle femme aux longs cheveux blonds vient hanter son sommeil. Elle porte une longue robe à l'ancienne. Sa peau est blanche comme de la craie et ses lèvres, rouge sang.

La femme se met à secouer violemment Stéphanie.

— Vite! Aidez-moi! Il va me tuer!

Tandis que Stéphanie essaie de s'éveiller, la porte de sa chambre s'ouvre brusquement. La femme pousse un cri, mais Stéphanie n'arrive pas à voir qui est entré. Il y a une lutte terrible. La femme s'enfuit et l'intrus la poursuit.

Stéphanie croit entendre des pas monter l'escalier. Puis un grand bruit de plongeon.

Stéphanie s'assoit et se met à hurler. Là, assise sur la chaise qu'occupait la femme, elle voit la poupée de la chambre du haut. De nouveau.

Elle avait enlevé la poupée la dernière fois.

Sa mère se précipite dans sa chambre, allume la lumière et plisse ses yeux fatigués et larmoyants en réaction au flot lumineux.

— Stéphanie! Que se passe-t-il?

— Cette poupée ! Qui l'a posée ici ? demande-t-elle en pointant la chaise du doigt.

Sa mère semble fâchée maintenant.

— Vraiment, Stéphanie, qu'est-ce que ça peut faire ? Je ne sais pas ce qui te prend depuis quelque temps, jeune fille. Maintenant, éteins ta lumière et retourne te coucher.

— Prends la poupée, dit Stéphanie.

Sa mère saisit la poupée avec un soupir de dégoût et claque la porte derrière elle.

Stéphanie est étendue dans le noir. Quelqu'un cherche délibérément à la terroriser. Cette poupée n'était pas sur la chaise lorsqu'elle est venue se coucher.

Le lendemain matin, la mère de Stéphanie assure la permanence à la réception bien que le téléphone ne sonne pas. Elle pose son stylo et regarde sa fille.

— Mais pourquoi veux-tu annuler le *party* ? Tout le monde est déjà invité et tous ont répondu qu'ils viendraient. Philippe a organisé une foule d'activités spéciales. Et franchement, l'Océane a besoin d'un peu de publicité. Les gens doivent se persuader que l'endroit est sûr.

Son ton est presque suppliant.

— Il ne me semble pas si sûr, à moi, réplique Stéphanie.

— Bonjour, tout le monde! dit Philippe en serrant Stéphanie dans ses bras et en l'embrassant sur le front. Comment va ma reine du *party* aujourd'hui?

— Bien, je suppose, fait-elle d'un ton maussade.

— Détends-toi, Stéphanie. Relaxe. Les gars sont déjà arrivés.

Les amis de Philippe sont venus aider l'orchestre à s'installer près de la piscine. Philippe tapote le dos de Stéphanie et s'empresse d'aller leur prêter main forte.

Des souvenirs du premier *party* — les rires, les gerbes d'eau, les odeurs de crème solaire — l'assaillent avec une telle force qu'elle en est étourdie. Stéphanie prend appui sur le comptoir de la réception. «Non! Non! Non!» se dit-elle.

Elle se précipite dans sa chambre et décroche le téléphone. Avant même de s'en rendre compte, elle entend Daniel au bout du fil.

— Daniel, écoute-moi. Personne d'autre ne le fera. Tu dois appeler la police et...

— Ils ne m'apprécient pas vraiment ces temps-ci.

— Je sais, mais je n'ai pas d'autre choix. Philippe et ma mère ne me croiront pas. Ils me pensent folle.

— Que se passe-t-il?

— Une femme s'est introduite dans ma chambre la nuit dernière, déguisée en fantôme ou quelque chose du genre. Elle ressemblait à cette vieille poupée retrouvée dans la maison. Ils essaient de m'effrayer, de me faire croire à un fantôme qui sanglote. Je l'ai déjà entendu pleurer, mais je pensais rêver ou me faire des illusions. Maintenant, je sais que c'est un coup monté.

— Qu'est-ce qui t'a fait changer d'avis?

Stéphanie prend une grande inspiration et jette un coup d'œil par-dessus son épaule pour s'assurer qu'on ne l'espionne pas.

— La nuit dernière, alors que je croyais rêver, cette personne a crié et n'a pas cessé de me dire que quelqu'un allait la tuer. Et puis j'ai entendu un bruit de plongeon. C'est ce qui m'a enfin réveillée.

— Je vois. Comme si quelqu'un avait lancé quelque chose dans la piscine ou y avait sauté.

— Oui. Seulement, c'est vraiment arrivé. J'ai vérifié. Le pourtour de la piscine était mouillé ce matin, et les rêves ne font pas de vagues.

— Tu penses que ce m'as-tu-vu se moque de toi et te menace en quelque sorte d'une chose qui se produira au nouveau *party*?

— J'ai essayé de l'annuler. Mais ce groupe de voyantes est convaincu qu'il s'agit d'un vrai fantôme et elles sont toutes impatientes de voir ce qui va arriver. En ce moment, elles sont toutes bouche bée devant les fenêtres. Ma mère croit que ce *party* nous fera une bonne publicité. Philippe a déjà fait venir les traiteurs et l'orchestre.

— Eh bien! Je comprends ton problème! Le cinglé n'a qu'à entrer. Exactement comme je l'imaginais.

«Si cette personne ne vit pas déjà ici», se dit Stéphanie.

Isabelle est déjà descendue, vêtue d'une robe hawaïenne aux couleurs vives, et elle aide les traiteurs à tout installer. Elle est, comme toujours, parfaitement vêtue pour l'occasion et aussi froide qu'un cube de glace.

— Je sais seulement que quelque chose va se produire. Je le sens jusque dans mes os. Raconte n'importe quoi aux policiers. Mais fais en sorte qu'ils viennent.

Il y a un silence à l'autre bout de la ligne. Elle entend presque Daniel penser.

— Je ferai mon possible. Essaie de tenir bon. Et Stéphanie...

— Oui?

— Ne va pas dans la piscine. Invente n'importe quelle excuse. Mais n'y va pas.

CHAPITRE 10

Stéphanie ne peut pas attendre plus longtemps. Elle doit faire acte de présence à son propre *party*.

Elle enfile son maillot de bain. Sa mère l'a poussée à en acheter un nouveau pour l'occasion. C'est un bikini rose orné d'une boucle en avant. Selon Philippe, elle le porte à merveille. Il ne lui a cependant pas dit que ce maillot la fait paraître moins maigre.

Ces derniers temps, elle a du mal à retrouver ses affaires dans les tiroirs de sa commode qui sont généralement bien rangés. Quelqu'un semble y avoir tout déplacé. Elle se demande parfois si elle ne perd pas la raison.

Les invités commencent déjà à arriver. Les jeunes filles gloussent et comparent leurs nouveaux maillots de bain. D'autres viennent de finir leur journée de travail et sont encore en short. Ils s'empressent d'aller se changer dans les cabines.

Les invités se précipitent vers la piscine pour s'emparer des meilleures chaises longues et prendre d'assaut les endroits sous les parasols.

L'orchestre joue de vieilles chansons des Beach Boys. Certains élèves commencent même à danser. D'autres paressent, étendus sur des serviettes de plage. Plusieurs ont déjà sauté dans la piscine et s'amusent à se poursuivre, à s'éclabousser et à se défier à la course.

Stéphanie voit Rachel sur une serviette de plage, entourée d'Isabelle, de Sophie, d'Agnès et de Vanessa. Leurs têtes sont penchées les unes vers les autres, et toutes agissent de façon très amicale. Elle se sent abandonnée.

— Stéphanie ! Regarde comme c'est magnifique ! dit Isabelle en levant le poignet de Rachel. Celle-ci porte un bracelet en or enroulé autour de son avant-bras à la manière d'un serpent et fermé à l'endroit où deux têtes se rencontrent. Leurs crocs en rubis font office de fermoir.

Stéphanie ne se sent pas d'humeur à parler bijoux. Le bracelet lui rappelle la bague que Philippe lui a offerte la veille. Elle espère que le jeune homme n'a pas remarqué qu'elle ne la porte pas.

— Où l'as-tu acheté ? demande-t-elle à Rachel.

— À la bijouterie *Le Coffre aux trésors*.

Le cœur de Stéphanie s'arrête de battre. C'est la bijouterie où Dorine, Estelle et Magalie ont acheté leurs bijoux. C'est aussi l'endroit où Philippe a acheté sa bague.

— Ne me regarde pas comme ça, Stéphanie ! dit Rachel. La police a attrapé Daniel. Il ne faut pas s'inquiéter. C'est bien pour ça que ce *party* a été organisé. Pour faire la fête, pas vrai ?

— Bien sûr, fait Isabelle en tapotant le bras de Rachel tandis que Stéphanie reste muette. Nous sommes tous ici pour nous détendre. J'irai moi aussi acheter quelques-uns de ces bracelets. Laisse-moi l'essayer.

Isabelle glisse le serpent doré à deux têtes à son mince poignet. Elle ressemble à une millionnaire.

Stéphanie s'éloigne des réjouissances et va s'installer seule dans un coin de l'enceinte vitrée de la piscine. Philippe et ses amis font des suggestions aux musiciens ; Philippe aide à diriger les traiteurs. Stéphanie surveille Isabelle qui joue les hôtesses, passant d'un groupe à l'autre.

Stéphanie éponge la sueur sur son front. La vague de chaleur déferle sur tout le monde en cette journée chaude et humide.

Elle lève les yeux. De gros nuages noirs s'amoncellent.

Elle se sent comme un fantôme à regarder les autres s'amuser. Depuis qu'ils ont installé le filet de volley-ball au milieu de la piscine, elle se sent encore plus à l'écart. Tout le monde pousse des cris d'allégresse. Même sa mère, qui supervise le tout de temps à autre, semble détendue. Mais Stéphanie jette des coups d'œil anxieux par-dessus son épaule et regarde vers la rue en se demandant ce qu'est devenu Daniel.

Quelques camarades de classe passent près d'elle et lui donnent des tapes dans le dos.

— Génial, ton *party*, Stéph!

Rachel court vers elle avec son bracelet en or.

— Tu devrais te joindre à notre équipe de meneuses de claque. Tu as l'esprit pour ça. C'est vrai, quelqu'un capable d'organiser un *party* comme celui-ci...

Un cameraman d'une chaîne de télévision locale se tient dans un autre coin de l'enceinte. Un journaliste rassure en direct ses téléspectateurs et déclare que tout est revenu à la normale à l'Océane.

Stéphanie remporte un vif succès sur le plan social sans avoir même essayé d'y parvenir. Mais rien de tout ça ne semble réel.

Toute cette gaieté paraît cacher quelque chose de beaucoup plus sinistre. Seuls les battements sourds de son cœur et le tic-tac de sa montre sont réels tandis que l'obscurité commence à tomber.

— Pourquoi restes-tu là seule à te morfondre? lui demande quelqu'un en l'attrapant par derrière.

Philippe. Il s'est approché d'elle dans son maillot de bain mouillé. Il est tout dégoulinant lorsqu'il l'attire contre sa poitrine et l'embrasse.

— Ton maillot est parfaitement sec! Tu n'est pas allée dans la piscine?

— Oh! J'ai dû aider ma mère, fait-elle en marmonnant la seule chose qui lui vienne à l'esprit.

— Ce n'est pas une excuse! dit-il en faisant signe à ses amis.

Rémi l'attrape par un bras. Philippe, par l'autre. Patrick et Julien s'emparent chacun d'une de ses jambes. Ils la portent jusqu'au grand bain et la font balancer en criant: «Un! Deux! Trois!» avant de la lancer dans la piscine. Elle tombe à l'eau dans un bruit retentissant.

Ne va pas dans la piscine. Invente n'importe quelle excuse. Mais n'y va pas. L'avertissement de Daniel lui revient à l'esprit.

Les autres jeunes s'assemblent autour

d'elle et lui lancent le ballon. Elle doit l'attraper et le renvoyer.

— À table! crie Isabelle.

Tous les invités sortent pêle-mêle de l'eau comme en réponse à un coup de sifflet. Ils se massent autour du barbecue et font la queue à la table où un traiteur leur tend une assiette. Chacun va alors se servir, selon son choix, de steak, de salade de pommes de terre ou composée, de haricots, de trempette et de petits pains.

Stéphanie ne peut rien avaler. Elle s'assoit sur une chaise et surveille. Philippe et Isabelle essaient encore de la tenter, mais elle s'invente un régime en guise d'excuse.

Lorsque le soleil se couche et que les lumières s'allument, tout le monde retourne à la piscine pour jouer au volley-ball.

— Allez, Stéphanie! dit Philippe. Tu deviens casse-pieds! Surveille bien le ballon!

Stéphanie se sent plus effrayée depuis que l'obscurité est tombée. Des éclairs de chaleur irréguliers illuminent le ciel nocturne. Le ballon la frappe à plusieurs reprises car elle ne peut détacher son regard du ciel.

La soirée s'éternise. Les acclamations des joueurs de volley deviennent de plus en plus fortes. Mais il ne se produit rien d'extraordinaire.

En fait, il est si tard qu'elle entend par

hasard des invités dire à quel point le *party* a été super mais qu'ils doivent partir sous peu. Se peut-il qu'elle se soit trompée? Il ne se passera donc rien cette nuit?

Le ballon bondit vers Philippe qui le frappe de toute la force de son poing. Il semble alors glisser et disparaît sous l'eau. Les tuiles noires rendent l'eau sombre et trouble. Stéphanie n'arrive pas à le voir, et il ne remonte pas à la surface. Elle ne voit même pas de bulles.

— Philippe! appelle-t-elle. Philippe!

Elle sent soudainement quelqu'un lui tirer le pied, et Philippe surgit à la surface en criant «Hou!».

Ce n'est pas drôle. Mais avant même que Stéphanie puisse y réfléchir, les lumières s'éteignent au moment où un éclair de chaleur zèbre le ciel.

— Oh non! grognent les jeunes.

La lumière revient. Rachel est étendue dans la piscine, inerte. Ses bras sont écartés de part et d'autre de son corps. Ses cheveux flottent mollement à la surface de l'eau. Son bracelet en or brille à la lueur des lampes.

Un hurlement monte à la gorge de Stéphanie.

Rachel se dresse d'un bond et éclate de rire, aussitôt imitée par les autres jeunes. Soulagée, Stéphanie se détend.

Soudain, les lumières s'éteignent de nouveau.

Stéphanie sent quelque chose ou quelqu'un bouger près d'elle. Le mouvement était infime, mais elle l'a néanmoins perçu. Un pied vient heurter sa jambe, puis plus rien ne bouge.

Stéphanie commence à avoir très froid. Elle se met à trembler de la tête aux pieds. Son esprit a déjà spontanément commencé à compter comme si, pour une raison quelconque, il était primordial de mémoriser le temps qui s'écoule. Elle a compté jusqu'à soixante lorsque la lumière revient.

Philippe et ses amis se tiennent autour d'elle, à l'endroit même où ils étaient lorsque les lumières se sont éteintes. Sophie est de l'autre côté du filet, près d'Isabelle, Agnès et Vanessa. Stéphanie les passe mentalement en revue, un à un. En fait, tout le monde se tient au même endroit qu'avant. Personne n'a bougé.

— Au jeu! dit Philippe en prenant le ballon.

— Attends une minute! Où est Rachel? demande Stéphanie.

Tout à l'heure, Rachel se tenait près d'elle.

Elle n'y est plus.

— Que personne ne bouge!

Daniel est là, entouré d'officiers de police l'arme au poing. Ils viennent de présenter un mandat de perquisition à la mère de Stéphanie.

Plusieurs filles commencent à pleurer et s'agrippent les unes aux autres. Les garçons chuchotent. Tous les visages paraissent blancs et crispés. Tous réalisent qu'une chose trop terrible pour y penser vient encore de se produire sous leur nez.

— Bien, dit l'un des policiers. Sortez tous de l'eau.

Stéphanie ne pense plus à Philippe. Elle ne voit que Daniel debout à côté de la piscine, les mains dans les poches. Il avait promis d'appeler la police. Il ne l'a pas laissé tomber. Mais il est arrivé trop tard.

Elle court vers lui, et Daniel referme ses bras autour d'elle.

— Oh, Daniel! Tout ça prouvera au moins aux policiers que tu n'y étais pour rien la première fois. Tu n'assistais pas à ce *party*.

Des projecteurs illuminent l'enceinte de la piscine. Les jeunes reculent jusqu'aux plantes tropicales en pleurant et en frissonnant. Des policiers munis d'un équipement de plongée sautent dans le grand bain et fouillent chaque mètre carré de la piscine noire. D'autres en font autant dans la partie peu profonde.

Ils ne trouvent rien. Ils rassemblent alors

126

les jeunes, les musiciens et madame Jacquier, les font sortir de l'enceinte et bouclent le secteur au moyen d'un cordon de sécurité.

Les éclairs de chaleur se transforment en gros éclairs dentelés dans le ciel. Le tonnerre fait trembler le sol. Pour la première fois depuis des semaines, les nuages éclatent et déversent une pluie torrentielle.

Les jeunes sont dirigés vers le grand salon de l'Océane tandis que les policiers allument les lumières dans les jardins. Malgré l'averse soudaine, des équipes accompagnées de chiens spécialement dressés passent au peigne fin chaque centimètre du domaine, à la recherche d'un corps ou d'indices. D'autres fouillent chaque pièce de l'auberge.

La police interroge madame Jacquier sur les petits trous creusés un peu partout dans la pelouse de la propriété. Elle leur explique avec nervosité que le jardinier s'est plaint d'avoir trouvé les azalées déracinées et replantées sans le moindre soin. Toutes les plantes se mouraient. Elle a renvoyé le jardinier et en a embauché un autre. Seulement, le nouvel employé a observé le même phénomène. Quelqu'un creuse le sol en cachette, peut-être en pleine nuit. Pourquoi ? Elle n'en a pas la moindre idée.

Les policiers font alors entrer au salon le

groupe de congressistes. Il leur importe peu qu'elles soient en robes de chambre et en pantoufles.

La mère de Stéphanie, silencieuse et la mine sinistre, s'assoit auprès des jeunes. Elle se tourne vers Isabelle.

— C'est la fin de l'Océane.

Isabelle passe son bras autour des épaules de madame Jacquier pour la réconforter.

Le père de Stéphanie fait irruption dans la pièce. Il porte un complet et un imperméable.

— Que s'est-il passé, cette fois? demande-t-il à sa femme.

— Ça a encore recommencé! Oh, Jacques! dit-elle en tendant la main vers lui.

Il dépose ses affaires et prend la main tendue.

— Je suis désolé, Denise. Je sais ce que l'Océane représente pour toi. J'ai tout entendu à la radio. Tu as peut-être raison. Il n'est pas bon que je voyage si souvent.

Madame Jacquier tombe dans les bras de son mari. Ils s'assoient tous deux, serrés l'un contre l'autre. Un policier lève alors les mains et demande le silence.

— Écoutez-moi tous. Nous devons interroger chacun d'entre vous. La nuit sera longue. La fille du maire semble avoir disparu.

Les policiers demandent aux jeunes, tou-

128

jours frissonnants dans leurs maillots de bain mouillés, de reprendre la place qu'ils occupaient au moment de la disparition de Rachel, le divan faisant office de filet. À l'exception des musiciens, des traiteurs, de l'équipe de télévision et de madame Jacquier, presque tout le monde se trouvait d'un côté ou de l'autre du filet.

Stéphanie y était entourée de Philippe, ses amis et Rachel. Isabelle, Sophie, Agnès et Vanessa étaient de l'autre côté. Tout le monde y était. Apparemment, personne n'a quitté la piscine. Tout le monde a un alibi.

— Ça ne peut être que l'un d'entre vous, dit le policier en se grattant la tête. Quelqu'un a dû sortir de la piscine pendant ces soixante secondes dont se souvient Stéphanie. Et cette personne devait se tenir près de Stéphanie, puisqu'elle est la seule à avoir senti quelque chose heurter sa jambe. Le coupable a peut-être agi avec l'aide d'un complice venu de l'extérieur.

— Monsieur, dit le père de Stéphanie en serrant toujours sa femme contre lui. Qu'est-ce qui vous fait penser que quelqu'un a effectivement fait quelque chose ? Cette Rachel ne nous joue-t-elle par un tour ?

— Monsieur Jacquier, je n'avais pas la moindre preuve jusqu'à ce soir. Mais à notre arrivée ici, j'ai reçu un message du poste disant que les corps des trois autres jeunes filles disparues venaient d'être trouvés. Ils ont été enterrés à peu de profondeur, dans les bois. La pluie les a découverts. Les jeunes filles ont été poignardées. Pensez-vous toujours que Rachel nous joue un tour?

Le lendemain matin, madame Jacquier reçoit l'ordre de fermer l'Océane. Elle ne doit accepter aucun client jusqu'à la fin de l'enquête. On ordonne au groupe de voyantes de partir. La mère de Stéphanie est découragée. Même Isabelle est debout et au travail de bonne heure ce dimanche. Elle aide à répondre au téléphone et pose un panneau à la porte : *FERMÉ JUSQU'À AVIS CONTRAIRE PAR ORDRE DE LA POLICE.*

Lorsque les voyantes partent en fin de matinée, celle au gros nez indique à Stéphanie où les trouver, en cas de besoin, et lui tend un bout de papier avec son numéro de téléphone.

— Pourquoi ? lui demande Stéphanie.

— Le fantôme vous a choisie comme médium. N'ayez pas peur. C'est un grand honneur.

— Ça n'a aucun sens et je ne suis pas un médium !

— Mais si, ma chère, vous l'êtes.

— Quelqu'un me joue des tours et essaie de me rendre folle.

— Peut-être, mais un fantôme très malheureux vit également à l'Océane et il a besoin de vous. Nous croyons qu'il attend quelque chose de vous. Vous le saurez en temps voulu.

— Bien! Génial! Un meurtrier se balade dans la nature et des fantômes me courent après. Fantastique!

La disparition de Rachel a au moins un bon côté. Son père a libéré son appartement au bout de la rue et s'installe dans celui qu'elle partage avec sa mère. Ses parents font plus qu'insinuer qu'ils aimeraient la voir s'installer dans une chambre du haut pendant qu'ils se redécouvrent.

— Pourquoi ne prends-tu pas la chambre de la tour, maintenant que personne ne l'occupe? lui suggère sa mère. Tu disposerais de beaucoup plus d'espace. J'ai demandé à la femme de chambre de la préparer avant de partir.

Lorsque Stéphanie entre dans la chambre, la poupée est assise sur la chaise et a les yeux fixés sur elle. Stéphanie n'arrive pas à découvrir qui déplace cette poupée dans la maison. La poupée peut difficilement se déplacer d'elle-même, à moins que les vieilles dames n'aient raison. Elle ne va tout de même pas croire à une histoire aussi insensée!

Stéphanie passe le plus de temps possible à l'extérieur de la chambre. Elle fait même ses devoirs à la réception. Mais elle doit enfin aller se coucher. Elle se réconforte en buvant un Coke restant de la veille.

Elle se sent soudainement très fatiguée et s'endort sitôt la tête posée sur l'oreiller. Mais encore une fois, peu de temps après s'être endormie, elle entend une voix parler. Ce n'est pas la voix de la dame qu'elle a déjà entendue la nuit. Cette voix est différente. Et elle l'a déjà entendue quelque part. Elle l'a encore entendue la veille.

C'est la voix de Rachel.

Stéphanie se réveille et s'assoit, étourdie, dans son lit. Pas de doute, elle est éveillée. Ce n'est pas un rêve. Mais elle entend la voix de Rachel aussi clairement que si la jeune fille se tenait près d'elle.

Soudain, la voix se tait. Stéphanie en entend une autre. C'est Dorine, l'une des filles disparues lors du premier *party*! Son corps vient d'être retrouvé, enterré. Mais Dorine bavarde.

Est-ce Estelle? Qui pourrait ne pas reconnaître sa voix? Stéphanie l'a souvent entendue parler au micro, au collège. Estelle était présidente du conseil des élèves. Mais elle a été assassinée.

Et maintenant, elle entend Magalie. Magalie a une voix superbe. Elle dirigeait la troupe de théâtre et tenait un rôle dans chaque pièce. Sa voix portait à des kilomètres.

Seulement, Magalie est morte. Elle ne jouera plus aucun rôle.

Stéphanie appuie ses mains sur ses oreilles. Elle se glisse hors du lit et cherche l'interrupteur à tâtons. La lumière jaune et crue inonde la chambre et lui fait cligner des yeux. Les voix proviennent de la poupée qui est maintenant assise sur la chaise, sous la fenêtre.

Stéphanie saisit la poupée et l'envoie contre le mur en criant: «Arrête! Arrête! Tu m'entends? Arrête!» La tête en cire se craquelle autour de la bouche et une longue cicatrice dentelée apparaît sur le front de la poupée qui se tait enfin.

La porte de la chambre de Stéphanie s'ouvre brusquement. C'est Isabelle, dans sa longue chemise de nuit en soie. Sophie se tient derrière elle, en pyjama. Elle est suivie par Agnès et Vanessa. Elles semblent avoir interrompu une soirée-pyjama — une soirée à laquelle Stéphanie n'a pas été invitée.

— Stéphanie! Qu'est-ce que c'est? lui demande Isabelle d'un air fâché que Stéphanie ne lui a jamais vu.

— C'est la poupée. J'ai entendu des voix... qui ressemblaient à celles de Dorine, d'Estelle, de Magalie et de Rachel.

— Mais elles sont mortes! dit Agnès.

— Enfin, nous pensons que Rachel est morte, elle aussi, ajoute Vanessa.

Les voix de la mort. Le chœur de la mort. Quel autre nom pourrait-elle lui donner? Oh! Comment leur expliquer?

Isabelle arque les sourcils, Sophie est bouche bée, Agnès a le souffle coupé et semble prête à s'évanouir. Vanessa s'approche pour mieux voir.

— Stéphanie, où as-tu pris ça? demande Isabelle.

Stéphanie tourne les yeux vers le visage craquelé de la poupée. Son regard glisse plus bas, jusqu'au bras de la poupée. Il est orné du bracelet en or de Rachel, le serpent à deux têtes doté d'un fermoir formé par les crocs en rubis. Il n'y a pas d'erreur possible. La veille, elles l'ont toutes admiré.

— Nous arrivons trop tard, dit Vanessa.

— Oui, tu peux le dire! fait Sophie.

Elles ont toutes les yeux fixés sur Stéphanie et semblent la croire coupable. Elles pensent qu'elle a quelque chose à voir avec la disparition de Rachel.

Elles pensent que Stéphanie est la meurtrière.

CHAPITRE 11

Peu après la découverte des trois corps enterrés dans l'épaisse forêt de chênes, celui de Rachel est lui aussi retrouvé, enterré à peu de profondeur dans le parc.

Les gros titres du journal local se font vicieux et annoncent :

Le meurtrier et sa complice démasqués !
Quatre morts. Combien d'autres encore ?

L'article souligne que Daniel et Stéphanie sont tous les deux plutôt pauvres, tandis que les victimes étaient riches et populaires. Chacune des jeunes filles assassinées portait ce soir-là un bijou en or de valeur qui, dans chaque cas, a été volé et retrouvé dans la chambre de Stéphanie, que ce soit sous son matelas ou au bras de sa poupée. Il est clair que Stéphanie les a volés, mais elle l'a fait avec l'aide de son ami. Les journaux vont jusqu'à admettre que Stéphanie n'a pu tuer les jeunes filles et transporter seule les corps.

Les policiers demandent à madame Jacquier d'accompagner sa fille au poste pour qu'ils puissent l'interroger. Ils la questionnent sans relâche en insistant particulièrement sur le dernier meurtre pendant que sa mère, assise dans la salle d'attente, tamponne ses yeux avec un mouchoir.

— Les lumières de la piscine sont restées éteintes pendant environ soixante secondes. C'est exact?

— Je pense, oui.

— N'est-ce pas ce que vous avez déclaré?

— Oui.

— Comment saviez-vous que la jeune fille allait se faire tuer si vous n'avez pas vous-même tout organisé?

— Je n'ai rien organisé. J'ai tout fait pour empêcher ça. J'ai même appelé Daniel.

— Pourquoi?

— À cause de toutes ces choses bizarres qui se sont produites : la poupée, le mouchoir, le couteau... Tout ça me semblait précurseur d'ennuis. C'est tout.

Stéphanie peut maintenant parler du couteau, puisque les policiers l'ont trouvé en fouillant sa chambre. À leurs yeux, c'est une pièce à conviction supplémentaire.

Sa version de l'histoire ne semble avoir aucun poids. Personne ne veut croire que Stéphanie a repêché le couteau après qu'Isabelle l'eut lancé dans la piscine. Les policiers pensent qu'elle essaie de faire porter les crimes par Isabelle, qu'ils n'ont d'ailleurs jamais interrogée.

— Très intéressante cette histoire de poupée, dit l'un des officiers. Vous êtes, dans chaque cas, la dernière personne à l'avoir touchée, n'est-ce pas?

— Je crois, oui, répond Stéphanie en haussant les épaules.

Peu importe ses réponses, puisque les policiers les interprètent pour mieux l'incriminer. Elle suppose qu'une fois que la police a mis la main sur un suspect, elle hésite à enquêter ailleurs. C'est tellement plus simple et froidement efficace.

Le policier lui pose alors une série de questions encore plus pénibles.

— Comment avez-vous sorti Rachel de la piscine après l'avoir assommée? Quelqu'un vous a aidée? Vous ne disposiez que de quelques secondes avant que la lumière ne revienne. Le corps a dû être transporté dans un véhicule et éloigné sans perdre une seconde. Cela signifie que le meurtre a été soigneusement préparé. Si vous acceptez de coopérer, les choses seront plus faciles pour vous.

— Je n'ai rien fait! dit Stéphanie en agrippant les bras du fauteuil. Je vous en prie, croyez-moi! Quelqu'un essaie de me faire accuser!

Sur quoi, les policiers l'avertissent simplement de s'attendre à subir un autre interrogatoire et lui demandent de ne pas quitter la ville. Puis ils la renvoient chez elle avec sa mère. Stéphanie veut voir Daniel. Il semble en savoir si long. Mais ses parents ne veulent absolument pas en entendre parler. Chaque fois qu'elle le leur suggère, ils froncent les sourcils et lui font de terribles sermons. Ils lui interdisent de l'appeler et surveillent le moindre coup de fil.

— Tu pourrais au moins parler à Isabelle, à Agnès ou à Vanessa, dit sa mère. Je ne te comprends pas, Stéphanie. Tu sembles te préparer de véritables ennuis.

Comment dire à sa mère que ces filles ne lui font pas plus de bien? Elle les soupçonne toutes. Leur parler ne ferait qu'empirer les choses. Elle se sent vraiment seule.

— Tu devrais dire à la police que Daniel t'a obligée à faire tout ça, dit Philippe.

— Écoute, Stéphanie, Philippe essaie seulement de t'aider, rouspète sa mère. Peut-être n'as-tu rien fait toi-même. Si tu essaies de le protéger, ne le laisse pas t'entraîner avec lui.

— Allez-vous enfin comprendre? dit

Stéphanie en tapant du pied. Je n'ai rien fait de mal et Daniel non plus!

Philippe fait rouler ses yeux bleus et lance aux parents de la jeune fille un regard de compassion. Ils ne peuvent que secouer la tête et soupirer devant ce qu'ils considèrent comme la terrible obstination de leur fille. Son père donne une petite tape dans le dos de Philippe et lui dit de continuer dans ce sens. Il est persuadé que sa fille changera d'avis.

Stéphanie a l'impression d'être entourée d'ennemis. Jour et nuit, sa mère, son père, la police et Philippe s'acharnent contre elle pour lui arracher des aveux. Même Isabelle, Agnès et Vanessa la jaugent et semblent prêtes à entendre une confession dès qu'elles la croisent dans un couloir.

Pendant tout le repas, ses parents la fixent dans un silence pénible. La tension est telle que sa mère fond parfois en larmes. Son père prend alors sa femme dans ses bras pour la réconforter. La situation a au moins l'avantage d'améliorer leur relation.

Monsieur Jacquier accompagne sa fille au collège. Pendant tout le trajet, elle l'écoute la sermonner à propos de son avenir — ses études et ses perspectives d'emploi. Il soutient en tapant sur son volant qu'elle ne peut se permettre d'avoir un casier judiciaire.

— Ta mère a toujours eu raison en ce qui me concerne, dit-il d'un air contrit. J'ai passé trop de temps à voyager autour du monde. Je n'ai pas été assez souvent auprès de toi. Et regarde ce qui arrive !

— Tu n'as pas à te sentir coupable, papa. Je ne suis pas plus responsable que toi de tout ce gâchis.

Son père freine violemment, livide.

— Où crois-tu donc qu'un tel entêtement va te mener, jeune fille ? Si tu n'avais pas dix-sept ans, je t'infligerais une bonne fessée !

Chaque midi, Philippe vient manger au collège. Elle passe d'un geôlier à l'autre. Le jeune homme met un bras autour de ses épaules et parle de tout et de rien. Mais il revient toujours sur les meurtres. Il lui assure l'aimer, quoi qu'elle ait pu faire.

— Daniel, au moins, ne me suit pas nuit et jour comme un limier soupçonneux, fait-elle.

— Stéphanie, j'essaie d'être patient avec toi.

— Ne sois pas si magnanime ! Fais-moi plaisir. Laisse-moi !

Elle se précipite alors vers la salle de cours en espérant ne pas le voir à la fin de la journée. Mais Philippe est toujours là.

Son père l'envoie souvent la chercher après les cours. Ils ne la laissent même pas rentrer à pied de peur qu'elle ne communique avec Daniel ou toute autre personne qui pourrait avoir un lien avec les crimes.

Lorsqu'elle arrive à la maison et aspire à un moment d'intimité, c'est la police qui l'attend dans une auto-patrouille, gyrophares allumés, et lui demande si elle est prête à parler. Les officiers s'assoient devant elle à la table de la cuisine et la fixent pendant que sa mère lui prépare un goûter.

— Aimeriez-vous un peu de café, messieurs ? leur demande sa mère avec nervosité.

— Avec plaisir, madame, répond l'un des hommes.

Mais Stéphanie ne peut rien avaler tant qu'ils sont là. Elle compte les minutes qui lui restent avant de pouvoir aller s'enfermer dans sa chambre.

Le même manège se reproduit jusqu'au collège. Le professeur est au beau milieu d'un exposé et Stéphanie prend des notes lorsque la secrétaire vient frapper à la porte et murmure quelque chose à l'oreille de l'enseignant. Celui-ci fronce les sourcils et tourne les yeux vers Stéphanie. Elle se tasse sur son siège, souhaitant pouvoir disparaître.

— Stéphanie, tu es demandée au bureau, dit-il.

Tandis qu'elle se lève et s'apprête à sortir de la salle, il l'arrête.

— Prends tes affaires. Tu ne reviendras pas d'ici la fin du cours.

Des policiers, portant insignes et uniformes, l'attendent dans le bureau. Elle se dit sans cesse qu'ils vont lui passer les menottes, mais ils persistent à vouloir lui parler.

Ils continuent de l'exhorter à dire la vérité. Tout le monde lui demande ça : ses parents, la police, Philippe, Isabelle, Agnès, Vanessa, Sophie. Mais elle dit la vérité ! Le problème, c'est que personne ne la croit ! Doit-elle donc mentir pour les rendre heureux ?

Elle meurt d'envie que quelqu'un la croie. Mais elle sait au fond d'elle-même ne pouvoir compter que sur une personne. Daniel.

Bien qu'il soit presque toujours suivi par un policier, Daniel semble venir chaque jour au collège. Elle n'ose pas aller vers lui et lui parler, même si tout le monde s'attend à ce qu'elle le fasse.

Elle n'est pas seule à souhaiter parler. Daniel la regarde souvent. Il fait parfois bouger ses lèvres ou lui fait des signes, mais elle détourne rapidement le regard de crainte que quelqu'un ne remarque leur manège.

Daniel se sent peut-être aussi impuissant qu'elle. Peut-être même davantage, lui qui est persécuté depuis plus longtemps. Si tout le monde la croit complice de meurtre, ils pensent tous que c'est Daniel qui a manié le couteau et la pelle.

Elle transporte un petit téléphone cellulaire depuis la disparition des trois premières jeunes filles. Son père le lui a envoyé avant de revenir en ville. L'une des touches est programmée pour composer automatiquement le 911. De nombreux jeunes se sont munis de tels appareils pour le cas où le meurtrier rôderait toujours. Elle se demande si Daniel en a un, lui aussi.

Elle essaie de voir si une de ses poches paraît gonflée. Elle jette même un coup d'œil dans son casier. Elle a vu d'autres étudiants se servir de leurs appareils entre les cours et elle lance des regards à Daniel pour voir s'il lui arrive de parler au téléphone.

Un jour, elle le voit appuyé contre le mur extérieur du collège en train de parler dans un téléphone cellulaire. Deux policiers se tiennent non loin de lui. Elle surprend, sans se faire remarquer, quelques bribes de conversation. Il parle à ses parents et leur dit à quelle heure il sera de retour.

Après cet après-midi, elle essaie d'obtenir son numéro. Elle n'a pas le courage d'appeler les parents de Daniel et encore moins d'interroger un autre camarade de classe.

Au bout de quelques jours, Stéphanie se

sent de plus en plus désespérée. Elle va craquer si elle ne parle pas bientôt à Daniel. Elle le repère enfin à la pause-repas et se met en ligne derrière lui le plus discrètement possible.

Elle arrache un bout de papier d'un carnet et y inscrit un message : *Daniel, quel est le numéro de ton téléphone cellulaire ?* Elle lui donne alors une petite tape sur le bras.

Sans même se retourner, il lui rend le papier après y avoir inscrit son numéro.

Elle connaît maintenant par cœur l'horaire de Daniel. Mais elle peut difficilement l'appeler au beau milieu d'un cours. Il se dépêche entre les cours, et elle aussi. À la fin de la journée, les policiers l'accompagnent chez lui. Il ne leur reste que la pause du midi.

Elle s'assoit, seule, d'un côté de la cafétéria et le surveille attentivement. Elle sort même son téléphone pour qu'il comprenne. Daniel n'est pas dupe.

Il la repère dès qu'il s'éloigne de la file d'attente. Mais au lieu de venir s'asseoir près d'elle — ce qui aurait attiré tous les regards sur eux —, il va s'asseoir à l'extrémité opposée de la cafétéria.

Une fois certaine qu'il est seul, elle reprend courage et compose son numéro. Il répond avant la fin de la première sonnerie.

— Daniel ! C'est si bon de pouvoir te parler de nouveau !

Elle a voûté ses épaules et parle tout bas de peur que quelqu'un ne l'entende.

— Ça oui! J'ai... Je pensais que tu m'en voulais peut-être pour ce qui s'est passé au dernier *party*.

Elle regarde autour d'elle comme si les murs avaient des oreilles.

— J'ai des tas de choses à te dire. Mais crois-tu que l'endroit est bien choisi? lui demande Daniel.

— Il est impossible de se voir à la fin de la journée et je ne peux pas t'appeler pendant les cours.

Il y a un silence. Elle peut presque entendre Daniel réfléchir.

— À quel moment vas-tu à l'étude?

— Juste avant et juste après le lunch.

— Viens me retrouver demain, dans le boisé derrière le terrain de sport. Apporte ton repas. Nous pourrons manger ensemble.

Peut-être n'a-t-elle pas bien entendu?

— Mais Daniel! Et la police? Tu ne peux pas leur échapper aussi facilement. Ils ne te laisseront pas aller te promener dans les bois!

— Ils passent leur temps à l'entrée du collège. Ils s'attendent à ce que je n'en sorte pas avant la fin de la journée. Ils ne savent jamais si je suis à l'étude, à la bibliothèque, à la cafétéria ou dans une classe. Si je sors par la porte arrière, ça devrait marcher.

Elle ne veut pas qu'il ait encore plus de problèmes avec la police, mais il ne semble pas y avoir d'autre solution. Elle est désespérée.

— D'accord. Je te verrai demain.

Le lendemain midi, Stéphanie arrive au boisé. Daniel n'est pas là. Elle attend et surveille. Elle le cherche même alentour. A-t-elle été dénoncée ? A-t-il décidé que c'était trop risqué ? Au moment où elle s'apprête à sortir du bois, elle se trouve nez à nez avec lui.

— Désolé, lui dit-il. J'ai dû attendre que la voie soit libre.

Ils sortent chacun leur repas en silence. Ils mangent sans échanger un mot et se regardent de temps à autre, comme s'ils étaient encore à la cafétéria à devoir faire attention que personne ne les remarque.

Le sandwich au beurre d'arachide et confiture forme une boule dans la gorge de Stéphanie. Elle boit un peu de cola, mais ça ne passe pas. Elle ne supporte plus ce silence ni cette tension.

— Qui a tué Dorine, Estelle, Magalie et Rachel ? demande-t-elle brusquement. Que veulent-ils ? Y aura-t-il d'autres meurtres ?

— Qu'est-ce qui te fait croire que je connais la réponse ? demande-t-il en enveloppant le reste de son sandwich avant de le remettre dans son sac.

— Tu semblais appréhender le deuxième *party* encore plus que moi. Je croyais qu'il pouvait se produire quelque chose. Toi, tu le savais. Tu as conduit les policiers à l'Océane quelques minutes après que le meurtre a été perpétré.

— Tu en conclus que je suis le meurtrier ?

— Non.

— Je voudrais que la police pense comme toi, dit-il avec un pâle sourire. Ils ne sont toujours pas certains de ma culpabilité. Eux aussi veulent apprendre comment j'ai su à l'avance.

— Oui. Ils n'ont pas arrêté de me poser la même question. Je crois que nous sommes dans la même situation. Mais j'aimerais savoir encore une chose, Daniel.

— Vas-y.

— À propos de Philippe. Tu m'as mise en garde contre lui. Le crois-tu toujours coupable ?

Lorsqu'elle prononce le nom de Philippe, Daniel paraît très étonné. Il pâlit. Puis il se met à rougir, embarrassé.

— Stéphanie, il assistait au *party* avec ses amis. Il n'est jamais parti, et les autres non plus. Ils sont toujours restés dans la piscine, à côté de toi. Ils ne peuvent pas avoir assommé cette fille, transporté son corps jusqu'à un véhicule et s'être enfuis.

— Pourquoi n'as-tu pas cessé de me dire de me méfier de Philippe ?

Il mordille sa lèvre et rougit encore plus.

— Je suppose que j'étais jaloux, et pas qu'un peu.

— Tu ne sais pas du tout qui a fait ça ?

— Je le sais très bien, dit-il en écrasant sa boîte de boisson gazeuse dans sa main. Mais ne me pose pas de questions. Ce serait dangereux pour toi de le savoir, ajoute-t-il, les lèvres pincées en une ligne ferme, inflexible.

— N'est-ce pas dangereux pour toi ? lui demande-t-elle, étonnée.

— Tu vois, fait-il avec un drôle de petit rire. Je crois être encore en vie du seul fait que la police me soupçonne et me suive sans cesse. Sans quoi, le meurtrier me tuerait à la vitesse d'un éclair.

— Moi aussi, la police me suit partout !

— Je ne prendrais jamais un tel risque, fait-il en secouant la tête. Tu es déjà suffisamment en danger. Crois-moi. Je préférerais mourir que te voir souffrir.

Elle sent une rougeur envahir son cou et ses joues. Elle détourne son regard, gênée. Daniel l'aime réellement. En fait, il semble l'aimer beaucoup plus qu'elle ne l'a jamais imaginé le jour où elle l'a quitté sous prétexte qu'il la tenait pour acquise.

Les lèvres de Daniel se posent soudain sur son nez, glissent et déposent un baiser sur sa joue. Avant d'avoir pu réaliser ce qui se passe, il recommence. Mais, cette fois, il vise mieux. Leurs lèvres se rencontrent tout de suite. Il l'embrasse d'abord avec hésitation, comme s'il n'était pas sûr de lui. Ses lèvres effleurent à peine celles de la jeune fille.

Le pouls de Stéphanie accélère. Elle n'entend rien d'autre que les battements de son cœur. Sans même y penser, elle ferme les yeux et penche la tête vers lui. Avant de s'en rendre compte, elle l'embrasse à son tour.

Elle se met à trembler. Ses bras se glissent autour de sa taille et s'agrippent à lui, comme si elle craignait de perdre l'équilibre.

— Nous ferions mieux d'arrêter, dit-elle en l'écartant et en reprenant son souffle.

Elle se sent heureuse comme elle ne l'a pas été depuis longtemps. Elle a maintenant quelqu'un avec qui tout partager. Et si elle ne peut pas le voir très souvent, elle sait au moins qu'il pense d'elle ce qu'elle a toujours pensé de lui.

Ils ramassent leurs sacs et leurs serviettes en papier et se débarrassent de la boîte de cola de Stéphanie. Elle pose sa main sur le bras de Daniel au moment où ils se lèvent pour partir.

— Pourquoi ne vas-tu pas raconter tout ce que tu sais à la police pour te tirer de ce mauvais pas?

— Je n'ai pas encore assez de preuves pour les persuader. Je dois continuer mon enquête.

— Sois prudent, Daniel.

Ils entendent la cloche annonçant la reprise des cours. En un instant, Daniel s'éclipse.

CHAPITRE 12

Stéphanie dort en gardant son téléphone sous son oreiller. Bien que fragile, c'est son seul lien avec Daniel.

Ils ont trouvé d'autres moyens de communiquer. Daniel se fait toujours accompagner au collège par deux officiers. Et Stéphanie, par son père ou par Philippe. Elle attend jusqu'à ce qu'elle puisse se faufiler dans les toilettes des filles tandis que Daniel est à son casier.

Ils s'appellent parfois entre les cours en allant d'une classe à l'autre. Mais ils préfèrent se téléphoner lorsqu'ils sont assis chacun à une extrémité opposée de la cafétéria.

Ils ne veulent cependant pas se parler trop souvent, de peur qu'on ne les surprenne.

Et ils ne veulent surtout pas se rencontrer trop fréquemment dans le boisé.

Stéphanie essaie encore de persuader

Daniel de lui dévoiler le nom de l'assassin. Mais il garde le silence chaque fois qu'elle l'interroge. Ils bavardent alors de choses généralement sans importance — des cours, des interrogations et des professeurs —, comme le font les autres. En fait, ils se sentent presque normaux pendant quelques instants.

Puis un jour, chaque fois que Stéphanie jette un regard par-dessus son épaule, Sophie, Agnès, Vanessa ou Isabelle paraît la fixer. Elles détournent alors leur regard en faisant semblant de s'occuper d'autre chose.

Le midi, alors qu'elle essaie de s'asseoir seule à la cafétéria, Sophie, Agnès, Vanessa ou Isabelle vient s'asseoir près d'elle. Lorsqu'elle mange lentement et s'attarde, les autres font de même. Elles restent là jusqu'à ce que la cloche sonne. Et puis, chacune doit partir.

Stéphanie et Daniel échangent des regards impuissants. Elle n'a pas la moindre occasion de l'appeler.

Le lendemain, Stéphanie décide d'apporter ses devoirs. Elle s'assoit seule à une table, étale exprès ses livres et ses cahiers et fait semblant d'être absorbée par son travail. Elle essaie de prendre le plus de place possible pour décourager toute personne qui viendrait vers elle.

— Tu prépares une interro ? lui demande Isabelle.

— J'ai un gros examen à la cinquième période ! fait Stéphanie en soupirant avant de se replonger dans son travail.

Elle fait l'impossible pour ne pas paraître nerveuse. Isabelle n'a jamais semblé devoir répondre de ses actes. La police ne l'a jamais interrogée. Personne n'a enquêté ni n'a paru s'étonner à propos des invitations qu'elle a envoyées pour un *party* où trois filles ont été enlevées et tuées ; on ne lui a pas demandé combien de couteaux elle a envoyés dans la piscine ni combien de fois elle s'est servie de ses jumelles ; personne ne s'est inquiété des croquis suspects qu'elle laisse traîner à la vue de tous.

Stéphanie suppose que c'est le privilège des gens très riches. Peu importe ce qu'elle mijote, tout ça n'est probablement qu'un jeu pour Isabelle. Une chose est sûre, elle ne prend jamais rien très au sérieux. Son comportement décontracté et jovial suffit à rendre Stéphanie complètement dingue.

— Je ne m'en fais jamais avec les examens, dit Isabelle. J'étudie la veille et je dors dessus. Mon père m'a toujours dit que c'est la meilleure tactique. Tu n'es pas d'accord ?

Stéphanie grogne en guise de réponse. Mais Isabelle ne semble pas comprendre le message. Elle continue son monologue pendant toute la pause, parlant pour deux. Elle ne paraît pas ennuyée de rester debout jusqu'à ce que la cloche sonne.

— Bonne chance, Stéphanie, ajoute-t-elle alors. Tu en as sûrement besoin.

— Oui ! répond Stéphanie.

Isabelle est si étrange ! Elle agit comme si de rien n'était. Elle tient les mêmes propos qu'elle aurait tenus le jour où elles ont fait connaissance. Son attitude joviale n'a pas changé non plus. Sauf que, maintenant, elle suit Stéphanie partout.

Elle et Daniel échangent encore une fois des regards de désespoir. Ils ont perdu une autre pause, raté une autre occasion en or.

La fin de la journée constitue un autre moment où ils peuvent se parler. Tout le monde est pressé de sortir du collège, et Stéphanie s'est rendu compte que personne ne prête attention à ce qu'elle fait. À l'instant où elle se tient près de son casier et sort son téléphone de son sac, elle entend : « Salut ! Quoi de neuf ? »

Stéphanie bondit de surprise. Sophie est à côté d'elle.

— Oh ! Pas grand-chose, répond-elle en espérant que Sophie va disparaître. Sophie est encore pire qu'Isabelle. Au début, elle a sympathisé avec Stéphanie et se méfiait d'Isabelle. Elle semble maintenant être entrée dans le camp de l'ennemie. Et tout ça sans le moindre battement de cil.

— Aux dernières nouvelles, tu serais sur le point d'élire résidence dans une cellule de prison, non ? fait Sophie d'un ton sarcastique.

En d'autres circonstances, Stéphanie aurait éclaté de rire. Mais aujourd'hui, elle ne trouve pas cette remarque très amusante.

— Oh ! Je ne sais pas. Si les policiers faisaient leur travail au lieu de me suivre sans cesse, ils pourraient découvrir le meurtrier.

— Tu le découvrirais toi aussi si tu descendais de ton paradis avec Daniel.

Les paroles de Sophie font frissonner Stéphanie. Que sait-elle ? Qu'a-t-elle vu ? Ils ont été si prudents.

— Je suis toujours désolée pour lui mais, maintenant, je vois ce que je vois.

— Vraiment ? dit Stéphanie d'un air froissé.

— Oh ! Je sais ce que tu éprouves pour lui. Ça crève les yeux. Mais, dans ton intérêt, tu ferais mieux de le laisser tomber. Sinon, tu verras sans tarder ta photo sur les avis de recherche.

— Tu sais très bien que je ne peux pas avoir de contact avec Daniel, même si je le voulais. Les policiers ne cessent de nous suivre.

Sophie éclate de rire en roulant les yeux comme quelqu'un qui en sait long et elle quitte Stéphanie.

Stéphanie est glacée jusqu'aux os; elle a peur de bouger, peur de respirer. Sophie doit en savoir beaucoup plus qu'elle ne l'a laissé entendre. Elle a dû voir quelque chose.

Elle s'empresse de composer le numéro de Daniel qui prend son téléphone et répond: «Allô!»

— Daniel, nous sommes dans le pétrin!

Elle l'a peut-être attrapé juste à temps.

— Non, je n'ai besoin de rien. Je ne possède pas de maison. Je n'ai donc pas besoin de services de rénovation.

Puis il raccroche.

Ça fait partie de leur entente. S'ils ne peuvent pas se parler, ils doivent agir comme si le correspondant essayait de leur vendre quelque chose, puis raccrocher. Les policiers l'escortent sans doute chez lui.

Mais que va-t-elle faire? Les cours sont finis pour la journée. Elle doit lui parler et il est trop tard.

Pire encore, elle voit Philippe qui l'attend au moment où elle met le pied dehors. Elle le supporte pendant tout le trajet. Une fois arrivés, il s'impose le temps d'un Coke, et elle se sent soudain fatiguée. Elle n'est pas seule un instant jusqu'après le repas. Il est tard. Elle n'arrive pas à garder les yeux ouverts pour finir ses devoirs. Elle s'endort, inquiète, et s'éveille au milieu de la nuit.

Elle ne sait pas ce que Daniel fait de son téléphone une fois chez lui. Il le range peut-être dans un tiroir. Peut-être le laisse-t-il dans la poche de son pantalon, lui-même suspendu dans son placard. Si elle l'appelle maintenant, elle risque d'éveiller toute la maisonnée.

Mais elle sait qu'elle doit courir ce risque. Sans allumer sa lampe de chevet, elle s'assoit au clair de lune tout en haut de la tour et compose le numéro.

— Allô ? répond Daniel d'une voix endormie après la première sonnerie. C'est toi ?

Lui aussi doit garder son téléphone sous son oreiller.

— Oui, c'est moi, dit-elle à voix basse. Daniel, je crois que quelqu'un nous a vus. Isabelle, Agnès, Vanessa et Sophie me suivent partout où je vais. C'est pourquoi je ne t'ai pas appelé. Je suis désespérée.

— Si tu le peux, viens me retrouver demain dans le boisé. Je dois raccrocher. Ma mère arrive.

Il raccroche avant même que Stéphanie ne puisse ajouter un mot.

Le lendemain, Isabelle et Sophie continuent de la suivre. Isabelle l'accompagne même à la salle d'étude. Lorsqu'elle demande un laissez-passer pour la bibliothèque, Isabelle fait de même en prétendant devoir étudier. La bibliothèque est le seul endroit suffisamment tranquille pour y arriver. Ensuite, bien sûr, Isabelle s'arrange pour s'asseoir à la même table que Stéphanie et elle y étale ses livres. Peu de temps après, Sophie, Agnès et Vanessa arrivent à leur tour.

— Salut, les filles! dit Sophie. On ressemble à un groupe d'experts. Pourquoi ne pas unir nos efforts et étudier quelque chose en particulier? Tenez, si on préparait cet horrible examen d'histoire pour jeudi?

Agnès échange un regard avec Isabelle. Elle s'assoit et gigote sur sa chaise jusqu'à ce qu'elle soit bien à sa place. Elle se coiffe, déploie ses livres et se met à remuer des papiers. Agnès n'est pas très portée sur les études.

Stéphanie ne peut détacher son regard de la jeune fille. Mais que se passe-t-il, ici?

Elle pose alors les yeux sur Vanessa. Celle-ci est aussi rigide qu'une statue. Elle lit et ose à peine respirer. Elle lève les yeux et envoie un sourire forcé à Stéphanie.

Stéphanie ne peut plus supporter cette situation. Daniel doit déjà l'attendre dans le boisé en se demandant avec impatience si elle se montrera ou non. Mais si elle se lève maintenant, on va la suivre. Ces filles l'ont prise au piège.

— Oh non ! dit-elle en fouillant dans son sac. J'ai oublié mon livre d'histoire. Je reviens tout de suite !

Stéphanie s'en va, obtient un autre laissez-passer et, la seconde suivante, elle file vers le boisé où Daniel l'attend.

— Oh, Daniel ! dit-elle en courant dans ses bras. Qu'allons-nous faire ? J'ai failli ne pas pouvoir venir. Les filles ne m'ont pas quittée. Elles m'ont coincée à une table de la bibliothèque. J'ai dû obtenir un laissez-passer en prétendant devoir retourner à mon casier. Je ne peux donc pas rester longtemps. Qu'est-ce que tout ça signifie ? Pourquoi me suivent-elles ?

Daniel paraît profondément plongé dans ses pensées. Son visage porte un masque sévère. Son menton est rigide et ses lèvres sont pincées.

Stéphanie éprouve alors un terrible pressentiment.

— Tu sais, n'est-ce pas ?

Il pâlit et détourne son regard. Il appuie son front contre un tronc d'arbre, désespéré.

— Ça ne peut pas être si horrible, non ? demande-t-elle en se tordant les mains.

Elle croyait qu'Isabelle et Sophie en avaient peut-être après eux. Mais le comportement de Daniel semble vouloir dire que la situation est encore pire. Comment est-ce possible?

Elle voit alors un policier à quelques pas d'elle. Elle regarde dans la direction opposée. Un policier se tient là aussi. Elle regarde par où elle est arrivée. Un autre. Elle tourne les yeux vers le boisé. Encore un.

— Daniel! Nous sommes encerclés!

— Je sais, dit-il. Je sais.

Les policiers les font tous deux sortir du collège et les emmènent au poste. Tous les élèves les épient par les fenêtres et certains sortent même de leur classe pour voir l'auto-patrouille, gyrophares allumés.

La police appelle leurs parents respectifs et leur demande de se présenter au poste immédiatement. C'est le jour de chance de Stéphanie. Son père est en ville. Et, grâce à Thierry, sa mère se fait remplacer par Philippe à la réception.

Stéphanie ne veut pas les voir. Elle cache même son visage contre l'épaule de Daniel lorsque ses parents franchissent la porte en toute hâte.

— Qu'est-il encore arrivé? s'écrie sa mère, les yeux rouges et bouffis d'avoir pleuré.

Monsieur Jacquier regarde sa fille d'un air sévère. Il paraît très distingué avec son complet, ses cheveux gris foncé, ses favoris teintés d'argent et le point dégarni au sommet de sa tête.

— Daniel, qu'allons-nous faire ? murmure Stéphanie.

Pas de réponse. Daniel semble être à des kilomètres de là.

La situation est si grave que, les yeux toujours posés sur Stéphanie, sa mère éclate en sanglots. Monsieur Émond fait alors irruption.

Il arbore le chandail « La Pointe-du-Bout » qu'il porte toujours lorsqu'il entraîne l'équipe masculine de soccer. Ses cheveux, coupés court, mettent en valeur son visage mince et anguleux. Il salue les policiers avec un grand sourire sympathique.

Mais son sourire disparaît dès qu'il aperçoit Daniel. Il essaie de s'approcher de lui, mais les policiers lui demandent de s'asseoir. Il aura tout le temps de lui parler plus tard.

Stéphanie ne pense pas que Daniel ait vu son père entrer dans la pièce.

Madame Émond arrive à son tour. Elle semble assommée. Tenant d'un air absent un sac d'épicerie, il ne fait aucun doute qu'elle a été appelée au micro du magasin. Un policier lui offre alors de mettre son sac dans le réfrigérateur du poste, et son mari lui fait un signe de la main depuis sa chaise.

Stéphanie donne un petit coup de coude à Daniel. Mais il s'est muni d'un bout de papier qu'il couvre de chiffres et de diagrammes mystérieux. Il n'a manifestement pas vu sa mère entrer non plus.

Le chef de police éclaircit sa voix et pose un regard lourd de signification sur Daniel et Stéphanie.

— Je suis désolé d'avoir dû vous convoquer de cette manière, dit-il. Mais comme Daniel Émond et Stéphanie Jacquier sont encore mineurs et que vous êtes responsables d'eux, nous avons cru bon vous expliquer ce qui se passe.

— Monsieur, mon fils a-t-il encore fait quelque chose ? demande madame Émond en levant la main. Nous avons été si prudents. Nous avons fait tout ce que vous nous aviez demandé. Je ne vois vraiment pas comment il peut...

— Vous n'avez qu'à écouter, madame Émond ! dit le chef de police en s'apprêtant à leur faire écouter une cassette.

— Devrions-nous faire venir notre avocat ? demande monsieur Jacquier de sa voix grave et sévère.

— Vous pourrez appeler votre avocat après, lui répond le chef de police en faisant tourner la cassette. Je vous recommande même de le faire.

Stéphanie fixe la cassette, incapable d'imaginer ce qu'elle peut contenir qui puisse l'incriminer. Mais après les premiers bruits de statique, elle reconnaît les voix terriblement familières.

— *Tu ne sais pas du tout qui a fait ça ?*

— *Je sais très bien. Mais ne me pose pas de questions. Ce serait dangereux pour toi de le savoir.*

— *N'est-ce pas dangereux pour toi ?*

(Drôle de petit rire)

— *Tu vois. Je crois être encore en vie du seul fait que la police me soupçonne et me suive sans cesse. Sans quoi, le meurtrier me tuerait...*

Stéphanie vire au pourpre, cache son visage dans ses mains et souhaite disparaître sous le plancher. Daniel devrait être encore plus embarrassé, mais il est toujours plongé dans ses mystérieux calculs.

Dieu merci, la cassette s'arrête. Stéphanie est en larmes. Elle n'ose pas croiser le regard de ses parents. Elle ne pourra plus jamais leur faire face.

— Monsieur et madame Émond, dit le chef de police. Votre fils a été libéré sous caution en attendant son procès. Tout suspect doit être présumé innocent tant que la preuve de sa culpabilité n'a pas été faite. Mais là, c'est trop fort. S'il n'a pas lui-même commis les meurtres, il déclare être en relation avec le meurtrier et ne pas avoir l'intention de le dénoncer...

«Ce n'est pas du tout ce que Daniel a dit, pense Stéphanie. Il a dit qu'il amassait des preuves contre le meurtrier. La police interprète ses paroles et les transforme à son gré.»

Elle donne un coup de coude à Daniel, mais il ne bouge pas. Il ne semble pas prêter attention à tout ce qui se dit. Il ne se soucie pas de se défendre. Il est trop absorbé par ses propres calculs.

— Monsieur et madame Jacquier, n'allez pas imaginer que votre fille n'est pas elle aussi dans le pétrin, continue le chef de police. Elle est la complice de Daniel. Nous nous en doutions depuis un certain temps déjà, surtout depuis le dernier *party*. Mais maintenant, nous en avons la preuve. Elle n'est peut-être pas au courant de tout, mais il est évident qu'elle l'aide. Une personne peut être reconnue coupable de meurtre même si elle n'a pas manié le couteau.

CHAPITRE 13

Les parents de Stéphanie établissent de nouvelles règles. Elle ne peut sortir de la maison qu'en leur présence ou celle de Philippe. Elle croise Daniel de temps à autre dans le couloir du collège. Mais ils ne peuvent qu'échanger des regards. Ils n'ont pas le droit de se parler.

Et d'abord, comment la police a-t-elle découvert que Daniel et elle se rencontraient dans le boisé?

Ces derniers jours, qui s'est trouvé physiquement assez près d'elle pour cacher un micro dans ses vêtements? Ses parents, bien sûr. Philippe. Et puis Isabelle, Sophie, Vanessa, Agnès.

Ses parents sont, bien entendu, hors de cause. Il est vrai que Philippe vient chaque jour la chercher au collège. Il aurait pu récupérer le micro en se penchant vers elle pour l'embrasser. Mais Philippe n'aurait jamais été prêt à la partager avec Daniel, même pour faciliter une enquête policière.

Restent Sophie, Agnès, Vanessa et Isabelle.

Isabelle enfile souvent une jolie robe lorsqu'elle rentre du collège. Elle passe ensuite des heures à peindre, assise à la piscine. Aujourd'hui, elle est vêtue d'une robe chinoise en soie rose qui contraste magnifiquement avec ses longs cheveux noirs retenus en arrière par une barrette en or.

Elle a installé son chevalet à proximité du grand bain, à l'intérieur de l'enceinte vitrée. Elle a reculé son tabouret contre un massif de camélias. Les boutons roses se confondent avec la couleur de sa robe.

Stéphanie vient se planter derrière elle.

— Pourquoi as-tu caché un micro sur moi, Isabelle ? lui demande-t-elle, criant presque.

Isabelle se lève sans broncher, prend Stéphanie par les épaules et la guide vers une chaise. Elle la force alors gentiment mais fermement à s'asseoir. Stéphanie se retrouve devant une huile de la piscine. Elle ne s'y connaît pas beaucoup en art, mais elle reconnaît dans les coups de pinceau le style impressionniste. Elle reconnaît la piscine noire et les plantes en pots qui l'entourent. Les plantes sont représentées par de longs traits verts, surmontés de petits nuages roses et rouges en guise de boutons. Il est difficile de dire où commence la piscine noire et où finit le pourtour, noir lui aussi. Au-dessus de la surface de l'eau, la toile est marbrée d'or vif et de blanc aveuglant.

— Ça ne vaut pas un Renoir ou un Cézanne, mais qu'en penses-tu ? lui demande Isabelle.

— Isabelle ! As-tu entendu ce que je t'ai demandé ?

— Les taches or et blanches au-dessus de la piscine sont censées représenter la lumière qui se réfléchit à la surface de l'eau.

Bouche bée, Stéphanie aperçoit la poupée au milieu d'un tourbillon de peinture noire. Il s'agit sans le moindre doute de la poupée de sa chambre, à l'étage supérieur, la poupée aux cheveux blonds et bouclés, aux yeux bleus et au teint pâle. Elle n'est pas très grande sur la toile, mais c'est la même. Et elle semble tenir un couteau !

Stéphanie bondit sur ses pieds et renverse presque le tableau.

— Ça suffit, Carignan ! À quoi joues-tu ? Pourquoi avoir peint la poupée ? demande-t-elle en pointant un doigt accusateur vers la toile.

— Pour ajouter une autre touche, dit

Isabelle en haussant les épaules, décontrac-
tée. Mais si elle te dérange, je peux peindre
par-dessus.

Elle prend son pinceau et recouvre le
point incriminé d'une épaisse couche de
peinture noire. La poupée disparaît.

— Tu vois ? Maintenant, il s'agit simplement d'une piscine noire.

— Tes sales tours me rendent malade,
Isabelle Carignan ! Tu prétends être mon
amie, mais tu n'es qu'une fille riche et snob
qui s'amuse aux dépens des autres. Je t'ai vue
l'autre jour, debout sur le balcon. Je t'ai vue
lancer le couteau dans la piscine. J'ai trouvé
tous ces croquis que tu laisses traîner partout
dans la maison. Essaies-tu de me rendre folle
en te promenant furtivement autour de la
maison, en te cognant partout et en jouant
les fantômes ?

Isabelle ajoute les touches finales à son
tableau.

— Et tu as caché ce micro sur moi. Tu
es la seule capable de l'avoir fait, puisque tu
vis ici. Tu l'as caché dans mes vêtements
avant que je ne m'habille et tu l'as récupéré
après que j'ai mis mes vêtements dans le
panier à linge. Tu...

Un grand sourire s'épanouit sur le visage
d'Isabelle.

— Maintenant, assieds-toi et détends-toi, dit-elle gentiment. Je vais te chercher un petit goûter.

— Est-ce que tu m'entends ? lui crie Stéphanie.

Stéphanie aperçoit une boîte de Coke à moitié pleine qu'Isabelle devait boire en peignant. Elle a très soif et en avale quelques gorgées. Elle ne sait pas quoi dire à Isabelle lorsque celle-ci reviendra.

Elle se sent tout à coup très fatiguée. Ses pensées deviennent confuses. Soudain, elle ne semble rien faire d'autre que fixer ces irrésistibles yeux violets. Isabelle est revenue avec du Coke et des bretzels. Stéphanie ne l'a même pas vue arriver !

— Tu as l'air d'avoir sommeil, lui dit Isabelle de son petit accent britannique.

Stéphanie se lève. Elle doit partir d'ici.

— Pauvre petite chose ! J'ai bien peur que tout ça n'ait été trop pour toi.

Isabelle passe ses bras longs et fins autour des épaules de Stéphanie et l'aide à marcher jusqu'à l'auberge.

Les paupières de Stéphanie sont lourdes de sommeil lorsqu'elle passe devant sa mère, à la réception. Elle commence à gravir l'escalier qui mène à la chambre de la tour et trébuche.

À travers ses pensées embrumées, elle se

souvient du Coke tout en s'agrippant à la balustrade et essayant de rester sur ses pieds le temps nécessaire pour atteindre sa chambre. Elle ne se sentait pas fatiguée avant d'en boire. Depuis quelque temps, chaque fois qu'elle s'est sentie inexplicablement fatiguée, c'était après en avoir bu.

Isabelle l'a droguée ! Isabelle s'est arrangée pour la faire dormir pendant qu'elle se prépare — sans doute pour une autre séance nocturne peuplée de farfadets et de revenants.

Stéphanie combat de toutes ses forces les effets de la drogue. Mais elle sait qu'elle ne peut pas gagner. La dernière chose dont elle se souvient est d'avoir plongé tête baissée sur son lit. L'obscurité l'engloutit.

Une femme se met à murmurer : « Arrête-le ! Stéphanie, tu dois l'arrêter. Ne le laisse pas s'échapper avec un meurtre sur la conscience. »

Stéphanie se souvient dans un sursaut qu'elle a été droguée et elle se force à ouvrir les yeux.

La femme est encore là, la même femme aux longs cheveux blonds, au teint pâle et à la longue robe. Elle est assise au bord du lit, sa silhouette se profilant à la lueur de la lune. Elle pleure et tamponne ses yeux avec un mouchoir.

Avant, la terreur avait cloué Stéphanie sur place. Mais maintenant, tandis qu'elle se soulève sur un coude, elle sent sourdre la colère en elle. Isabelle a pris le temps de se déguiser pendant qu'elle-même était endormie. Et elle va encore essayer de l'effrayer et probablement cacher d'autres couteaux ensanglantés dans sa chambre pour qu'elle ait encore plus d'ennuis avec la police.

Stéphanie s'agrippe à la robe de la forme indistincte. Sa main se referme sur du tissu véritable, et non sur quelque chose d'invisible ou de spectral. Ce tissu est aussi réel qu'elle.

— Pourquoi me fais-tu ça, Isabelle ? crie-t-elle.

Stéphanie perçoit un bref halètement. La dernière fois qu'elle l'a vérifié, les fantômes ne respiraient pas, non plus.

Elle a du mal à bouger après un sommeil si profond. Mais elle lance ses jambes sur le côté du lit et poursuit la femme en titubant. Elle la heurte. Le corps sous la robe est solide et tout ce qu'il y a de réel. La femme disparaît par la porte.

Le couloir est plongé dans l'obscurité, et Stéphanie perd de vue le «fantôme». Au lieu d'essayer de la chercher dans le noir en vacillant, elle claque la porte et la verrouille.

Elle allume le plafonnier et repère immé-

diatement son sac. À côté, elle voit le téléphone qu'elle n'a pas pu utiliser au collège
ces jours derniers. Elle compose le numéro
de Daniel, même après avoir constaté en
regardant son réveil qu'il est déjà minuit.
Daniel est le seul qui la croira.

— Daniel, tu dois venir ici tout de suite!

— Que s'est-il passé?

— Daniel... Viens!

— Quelqu'un a essayé de te faire du mal?

— Ne passe pas par la porte, ajoute-
t-elle en humectant ses lèvres. Grimpe plutôt
au chêne devant la fenêtre de ma chambre. Je
t'attendrai.

Elle raccroche.

Stéphanie fait les cent pas devant sa
fenêtre pendant ce qui lui semble une éter-
nité. Lorsque Daniel se montre à sa fenêtre,
ils se serrent l'un contre l'autre en silence. Ils
n'ont pas pu échanger un mot depuis
l'épisode du poste de police.

Ils s'assoient par terre, et Stéphanie lui
raconte tout ce qui s'est passé depuis lors.
Elle lui parle de ses soupçons envers Sophie,
Agnès, Vanessa et surtout Isabelle. Elle
souligne qu'Isabelle a drogué le Coke, cet
après-midi, pour avoir le temps de se
déguiser. Stéphanie est certaine qu'Isabelle
est coupable depuis le début.

— Je ne peux pas dire que ça me surprend, dit Daniel. Je vais passer la nuit ici. Là-haut dans la tour, bien sûr. Comme ça, si quelqu'un essaie d'entrer, tu n'auras qu'à m'appeler.

Daniel n'est pas monté depuis dix minutes qu'il appelle son amie.

— Hé! Stéphanie! Regarde ça! Quelle chance! J'ai pris le meurtrier en flagrant délit!

Elle se précipite si vite dans l'escalier qu'il s'en faut de peu qu'elle ne trébuche.

Il lui montre une lettre. Du moins, un vieux papier jauni et froissé qui ressemble à une lettre. Il sourit d'un air triomphant.

— Où est le meurtrier? lui demande-t-elle, à bout de souffle.

Il pointe du doigt la poupée assise près de la porte du balcon. La poupée n'a pas changé, elle est toujours vêtue de ses élégants vêtements, ses cheveux blonds luisent, son teint est pâle comme la mort et ses yeux regardent droit devant. Mais chacun de ses traits semble vivant.

— La poupée? Comment pourrait-elle être le...

Elle remarque alors que le pied de la poupée a été ouvert. De la bourre sort de la découpe.

— J'ai trouvé cette lettre dans le pied de la poupée. C'est le dernier endroit où j'aurais pensé chercher. Et, grâce à Dieu, j'avais raison.

— Je ne comprends pas, Daniel.

— Tu ferais mieux d'essayer, Stéphanie. Je viens de te sauver la vie.

Il l'invite à s'asseoir près de lui, sur le balcon, pendant qu'ils lisent ensemble le vieux document. Le manuscrit est couvert d'une écriture élégante. Il devient vite évident qu'il a été écrit il y a très, très longtemps. Il relate l'histoire d'une fille nommée Charlotte Wattier.

— Charlotte est le chaînon manquant que tu cherchais ? demande Stéphanie, qui n'arrive pas à y croire.

— Oui ! répond Daniel. Lis !

Charlotte Wattier est née au début du siècle dans une grande et vieille maison de l'île aux Crabes. Son père, capitaine au long cours, sillonnait les mers. Sa fille ne le voyait pas souvent mais, chaque fois qu'il revenait d'un long voyage, il rapportait de magnifiques cadeaux pour sa petite Charlotte.

Elle n'a jamais chéri un cadeau comme la poupée que son père lui a offerte. Cette poupée n'était rien moins qu'ordinaire. Elle était si belle qu'elle paraissait presque humaine. Elle avait de longs cheveux dorés qui bouclaient sur ses épaules. Ils étaient aussi gner lors de son prochain voyage. Le capitaine Wattier a alors navigué vers le Sud, jusqu'aux Antilles, où il faisait escale dans chaque port. Charlotte était si curieuse de tout qu'elle suppliait son père de la laisser descendre à terre chaque fois qu'ils accostaient.

Le capitaine donnait de l'argent à sa fille pour qu'elle puisse faire des emplettes dans chacun des ports. Un jour, une surprise attendait Charlotte à son retour. La surprise, recouverte d'une couverture sombre, avait été hissée à bord en grand secret pendant l'après-midi.

Charlotte applaudit, radieuse, persuadée que son père était à l'origine du présent. Était-ce un piano? Une harpe? Une statue de grande valeur? Peut-être un nouveau mobilier de chambre? Ce devait être gros pour être ainsi recouvert d'une couverture.

Elle retira la couverture et se trouva devant une toile. C'était le portrait au fusain d'une jeune femme aux longs cheveux blonds faisant ses emplettes au marché. Le portrait lui ressemblait tout à fait. La robe était identique. L'artiste avait reproduit son expression avec fidélité.

Le coin inférieur gauche était signé: *À Charlotte, de son soupirant.*

Charlotte n'avait jamais eu de soupirant. Elle ne savait rien de plus que ce qu'elle avait

doux que de vrais cheveux. Ses lèvres étaient rouge vif. Son teint était d'un blanc luisant qui semblait rayonner de l'intérieur comme la peau humaine. Ce n'était pourtant que de la cire.

La poupée avaient des yeux bleus, tout à fait saisissants. Charlotte adorait regarder sa poupée dans les yeux pendant de longues minutes, presque incapable de détourner son regard. Parfois, elle aurait juré que la poupée lui rendait son regard et battait même de ses longs cils blonds.

Il n'a pas fallu longtemps à Charlotte pour se rendre compte que la poupée lui ressemblait. En fait, si la poupée avait été vivante, elle aurait pu être sa propre sœur jumelle. Lorsque Charlotte questionna son père à ce sujet, il lui répondit: «Tu es une petite fille intelligente, Charlotte. J'ai chargé un fabricant jamaïcain de faire cette poupée à partir d'une de tes photos. J'ai même coupé quelques boucles de tes cheveux. Cette poupée te portera bonheur.»

— Vraiment, père? avait demandé Charlotte, les yeux écarquillés.

— Mais oui, ma douce! avait-il dit en caressant son menton et en souriant. Si tu fais un vœu, ta poupée le réalisera peut-être.

Charlotte essaya de faire de petits vœux, comme avoir un morceau supplémentaire de gâteau au dessert ou avoir la permission d'aller se coucher plus tard. Elle était souvent étonnée de voir ses petits vœux se réaliser. Elle a baptisé sa poupée Charlotte et l'a embrassée.

Mais la poupée est devenue plus spéciale encore tandis que les années passaient et que Charlotte avançait vers l'adolescence. Lorsqu'elle était triste, la petite fille allait s'asseoir dans sa chambre de la tour et prenait sa poupée dans ses bras. Comme elle était souvent seule à l'Océane, si l'on excepte la légion de domestiques, elle lui racontait tous ses ennuis.

Mais, de la même façon, Charlotte partageait avec sa poupée ses moments agréables. Les jours où son père revenait de voyage, elle passait la journée à faire la fête. Le soir, elle montait dans sa chambre et racontait tout à sa poupée. À l'occasion, elle lui apportait même un morceau de gâteau.

À l'origine, la poupée était à l'image d'une petite fille, comme elle. Mais ses joues ne semblaient plus alors avoir cette rondeur de bébé ; leurs lignes paraissaient plus pures et plus mûres, comme les siennes.

Charlotte se croyait seule à avoir remarqué ce fait. Mais elle se trompait. Les domestiques se signaient et croisaient leurs doigts pour se garder du mauvais œil. Ils disaient de la poupée qu'elle était « ensorcelée ».

Cette pensée lui plaisait. Elle demandait même à la couturière de confectionner des robes à la poupée. Ces versions miniatures de ses propres vêtements étaient parfaites dans les moindres détails, des bordures en dentelle aux garnitures dorées. Chaque fois que Charlotte avait une nouvelle robe, sa poupée en avait une.

— Vous faites de la magie noire, maîtresse, avait un jour grogné sa femme de chambre en l'aidant à s'habiller. Vous devenez sorcière.

— Peut-être en suis-je une, avait répondu Charlotte.

Elle aimait se faire respecter par le domestiques. Il n'était peut-être pas mauv qu'ils la craignent un peu.

Elle se parlait fréquemment à haute en se préparant pour la nuit. Comm n'était entourée que de ses serviteurs plaignait souvent de la femme de mé n'avait pas bien épousseté le salon, sinière qui avait laissé brûler le re maître d'hôtel qui avait pris son n'était pas étonnée, lorsqu'ils étai de petits incidents, de les enter la poupée s'était vengée.

Mais le jour de son seizièr Charlotte Wattier ne s'était poupée. Son père l'avait in

lu dans les romans. Mais, à cette seule idée, elle fut prise d'un délicieux frisson. Elle était impatiente de montrer ce portrait à son père.

Le capitaine Wattier était en réunion avec son équipage lorsque Charlotte s'était précipitée vers lui. Son père s'est alors excusé pour plaire à sa fille. Mais lorsqu'il a aperçu la signature, son expression était devenue sévère.

— Tu ne dois pas encourager cet inconnu! l'avait-il avertie. Il n'est pas pour toi.

— Mais, père, vous ne savez même pas de qui il s'agit.

— C'est sans doute un homme sans le sou à la recherche d'un jeune fille riche à marier.

Charlotte fit la sourde oreille. Le lendemain, elle cacha soigneusement à son père la douzaine de roses rouges à longue tige qu'elle avait reçue. Mais elle trouva le message lui demandant de venir rencontrer son soupirant dans un studio, sur le port.

L'artiste était un jeune homme nommé Charles Wallace. Il était si beau que, en le voyant lui sourire, Charlotte tomba éperdument amoureuse de lui.

Il l'a invitée, jour après jour, à venir pour faire son portrait à l'huile. Il déclarait avoir aimé son exquise beauté en l'apercevant de loin. Il voulait maintenant reproduire l'essence même de Charlotte. Il pourrait ainsi accrocher la toile au mur de sa chambre et le conserver pour ne jamais oublier son seul amour véritable.

Au début, Charles Wallace peignait vraiment. Mais ils ont très vite passé tout leur temps à s'embrasser. La veille du départ du navire, ils se sont enfuis.

Charlotte a écrit une longue lettre à son père lui décrivant son mari et son travail d'artiste peintre, lui expliquant leur vie dans un studio et lui demandant de venir leur rendre visite avant de lever l'ancre. Elle a signé sa lettre « C. W. »

Son père a réagi rapidement. Il ne s'est pas présenté lui-même, mais a envoyé plusieurs de ses marins parmi les plus bagarreurs. Ceux-ci ont enfoncé la porte du studio, ont battu le peintre et ont emmené jusqu'au bateau une pauvre Charlotte criant et se débattant.

Mais au lieu d'oublier Charles, Charlotte a entamé une grève de la faim. Son père l'a avertie qu'elle n'en tirerait rien de bon et qu'il ferait annuler ce mariage dès qu'ils accosteraient. Mais Charlotte a persisté. Elle s'est alitée, fondant de jour en jour.

Le capitaine Wattier a essayé de la raisonner. Mais c'était peine perdue. N'ayant pas d'autre choix, il s'est laissé fléchir. Il lui a offert l'Océane en guise de cadeau de mariage et a de plus accepté de lui verser une rente annuelle.

Le capitaine a alors repris la mer en disant ne jamais vouloir revenir tant et aussi longtemps que sa fille resterait mariée à Charles. Ses dernières paroles à sa fille ont été : « Tu as épousé un chasseur de dot, mon enfant. Je te souhaite bien du plaisir avec lui. »

À ce moment-là, Charlotte n'a pas particulièrement prêté attention aux paroles de son père qui se sont, par la suite, révélées prophétiques. En quelques mois, Charles a dilapidé leur première rente annuelle. Lorsqu'il n'était pas dans son studio, il passait son temps à jouer et à boire. Il se considérait comme un gentilhomme et trouvait le métier d'artiste beaucoup trop modeste.

Il organisait de somptueuses soirées autour de la piscine que le père de Charlotte avait fait construire. Charles a même fait ériger une enceinte vitrée pour que la piscine puisse servir toute l'année. En plus des statues et des fontaines qui y étaient déjà, il a fait aménager des cabines et des courts de tennis.

La première fois qu'ils se sont trouvés à court d'argent, il l'a souligné d'un ton désinvolte à sa femme.

— Père a bien dit qu'il ne verserait notre rente qu'une fois par an, lui avait-elle rappelé.

— Mais il ne pouvait pas parler sérieusement! Nous devons maintenir notre position sociale.

— Mon père pèse toujours ses mots.

Son mari s'est alors emparé d'un vase et le lui a lancé. Le vase s'est fracassé contre le mur, et Charlotte s'est enfuie en pleurant.

Elle s'est enfermée dans son ancienne chambre, celle de la tour qui surplombait la piscine noire. Elle a pris sa poupée et s'est mise à lui parler. La poupée semblait pleurer avec elle. «C'est une véritable amie», s'est-elle dit. Elle a passé cette nuit-là dans sa chambre avec sa poupée pour seule compagne.

Charles a transformé la vie de Charlotte en enfer jusqu'au chèque suivant. Il a alors fait installer l'électricité dans tout le domaine et dans l'enceinte de la piscine pour qu'elle brille comme en plein jour. Il a même commandé des téléphones pour toutes les pièces. Il achetait des crevettes des Carolines et des homards de la Nouvelle-Angleterre, les accompagnait de caviar russe et arrosait le tout des meilleurs vins français. Lorsque Charlotte, anxieuse, lui a souligné qu'il ne pouvait pas dépenser l'argent d'une année en un seul jour, il s'est contenté d'allumer l'un de ses coûteux cigares cubains au moyen d'un billet de cent dollars, de souffler sur la flamme et de lui envoyer le bout de papier.

Leur pécule a fondu encore plus rapidement que la première fois. Charles s'est alors mis à emprunter de l'argent aux banques en donnant comme garantie la rente de l'année suivante.

Charlotte passait de plus en plus de temps seule dans la chambre de la tour à observer la piscine noire. Elle se barricadait contre son mari et pleurait en se plaignant à sa poupée. Elle se demandait si sa poupée étaient encore dotée de quelque pouvoir magique ou si elle avait elle-même imaginé ce pouvoir lorsqu'elle était petite.

Un jour, un messager est venu. Il apportait à Charlotte une lettre de son père écrite d'une main tremblante. Le capitaine lui disait être atteint d'une fièvre tropicale à laquelle il ne pensait pas survivre. Il lui léguait une grande fortune à laquelle, il en était sûr, elle ne permettrait pas à son mari de toucher. C'était à elle d'en décider.

Il lui révélait lui laisser un trésor transporté par un navire espagnol qui avait fait naufrage des siècles plus tôt. Son équipage et lui l'avaient trouvé échoué sur les bancs de sable, avaient transporté le trésor à terre et l'avaient enterré dans un lieu secret. Il avait dessiné un plan qui mènerait Charlotte jusque-là. Le trésor était enfoui à l'Océane, dans une astucieuse cachette. Et Charlotte était littéralement assise dessus.

Charlotte demeura longtemps à fixer la carte, le dernier message qu'elle devait recevoir de son père. Voilà qui expliquait tout! C'est à cause de ce trésor que son père l'avait tellement protégée lorsqu'elle était jeune fille. C'est pour cette raison qu'il lui avait offert la poupée magique. Mais, quoi qu'il en soit, Charles avait entendu parler de la découverte du capitaine Wattier et l'avait traquée, elle, son unique héritière.

Charlotte estima qu'il ne faudrait pas plus d'un an à Charles pour dilapider la plus grosse fortune d'Amérique du Nord. En pensant au bonheur qu'elle aurait pu connaître, elle se prit à haïr Charles comme jamais auparavant. Et elle décida de se venger.

Elle tourna les yeux vers sa poupée, sur l'étagère. La poupée lui souriait. Une idée la frappa alors subitement: elle allait cacher la carte dans le pied en chiffon de sa poupée. Charlotte n'avait qu'à défaire la couture puis à la recoudre.

Lorsque Charles apprit que son beau-père était mort, il embrassa sa femme en disant: «Nous sommes riches!»

— Tu es fou! Maintenant, mon père ne nous enverra plus de rente.

— Et le trésor?

Charles ne se souciait alors plus de cacher ce qu'il savait.

— J'ai interrogé le messager. Il m'a dit t'avoir donné la carte au trésor.

— Je préfère mourir que te laisser la découvrir, avait dit Charlotte, les lèvres pincées dans une expression décidée.

Charles s'est alors mis à battre sa femme régulièrement. Les voisins l'entendaient gémir la nuit, seule, dans sa chambre. Ils le voyait boire, casser des bouteilles et jurer. Tout le monde évitait le domaine.

L'ancien artiste est devenu obsédé. Il arrachait les lambris des murs, soulevait les planchers, détruisait les meubles ; il creusait même dans les massifs de fleurs et déracinait les arbres. Mais le trésor lui échappait.

Une nuit, Charles força la chambre de Charlotte, soûl et fou furieux.

— Si tu ne me dis pas immédiatement où est enfoui ce trésor, je te tue !

Ses cheveux étaient hirsutes et ses vêtements, déchirés et froissés. Il avait un regard féroce. Il n'avait plus rien du gentilhomme auquel il s'efforçait de ressembler quelques années plus tôt.

— Tu ne peux pas me tuer. Je m'en vais ! lui avait dit Charlotte, qui s'était préparée depuis longtemps à ce moment.

Il demeura bouché bée tandis qu'elle gravissait en courant l'escalier de la tour octogonale. Après un dernier regard de défi, elle se jeta par la fenêtre vers la piscine, trois étages plus bas. La chute fut si violente qu'elle heurta le fond de la piscine avant de remonter flotter à la surface, les yeux grands ouverts, fixant son mari avec un regard accusateur. Dans la mort, ses lèvres affichaient un petit sourire satisfait. Charlotte avait emporté son secret avec elle.

Et Charles ne devait pas tarder à comprendre ce que signifiait ce sourire.

Au plus profond de la nuit, croyant être seul dans la maison, Charles entendait une femme pleurer. Il se levait alors pour suivre le bruit qui le menait tout droit dans l'ancienne chambre de sa femme, dans la tour octogonale. Lorsqu'il ouvrait la porte, il ne voyait rien d'autre que la poupée qui le regardait.

À d'autres moments, lorsqu'il entendait la femme pleurer dans l'obscurité, il trouvait la maudite poupée dans sa propre chambre. Une nuit, il la jeta dans l'escalier et la piétina. Mais le lendemain, la poupée était de nouveau dans la chambre de Charlotte, impeccable et vêtue de l'une de ses plus élégantes robes, répliques parfaites de celles qu'avait portées sa femme.

Charles perdait peu à peu la raison dans cette demeure que tout le monde disait hantée. Un jour, alors qu'il arrachait les tuiles sur le toit de la maison, persuadé que le trésor y était caché, il regarda vers la piscine. Le soleil se réfléchissait à la surface de l'eau, et il vit étinceler les initiales dorées C. W.

« De l'or ! » pensa-t-il. Du toit, il se jeta dans la piscine. Il se rendit compte dans sa chute que la piscine avait la forme d'un cercueil ! Mais il était trop tard. Juste avant de mourir, il aperçut la poupée qui le regardait depuis la fenêtre de la chambre de Charlotte.

L'Océane est maudite. Le fantôme de Charlotte et sa poupée se vengeront de quiconque tentera de s'emparer de leur trésor.

— Mais qui a rédigé ce manuscrit ? demande Stéphanie après qu'elle et Daniel ont fini de le lire. Charles, Charlotte et le capitaine Wattier sont tous morts.

Ils regardent tous deux, mal à l'aise, la poupée aux longs cheveux blonds et bouclés. Elle appartenait à Charlotte et est restée intacte pendant toutes ces décennies. Mais non, c'est impossible...

— Charlotte a peut-être deviné ce qui allait se passer et l'a écrit avant de mourir, fait Stéphanie.

Mais l'explication semble ridicule et la question reste sans réponse.

— Qu'est devenue la carte ? demande-t-elle pour changer de sujet.

— Elle est ici, avec les autres documents

que j'ai trouvés cousus dans le pied de la poupée.

— Le trésor est-il encore caché à l'Océane ?

— Mais oui ! dit Daniel. Et la carte nous révèle même qui a tué Dorine, Estelle, Magalie et Rachel.

— Mais comment Charlotte, Charles ou le capitaine Wattier aurait pu savoir une telle chose ? Ils ont vécu au début du siècle !

Stéphanie se tait subitement en regardant la poupée. Son visage, qu'elle avait frappé contre le mur, n'est plus craquelé. En fait, la poupée est impeccablement vêtue de sa longue robe blanche bordée de dentelle et de sa cape mauve, et ses cheveux sont ornés de petites fleurs roses et blanches. L'expression de la poupée a encore changé. Elle a un petit sourire satisfait.

CHAPITRE 14

Stéphanie détourne les yeux de la poupée. C'est le seul moyen de rester sensée.

— Je sais maintenant comment confondre le meurtrier! s'exclame Daniel.

— La carte te dit ça aussi?

— Elle m'indique tout ce dont j'ai besoin pour y arriver.

— Mais comment?

— Nous allons organiser un *party*! dit-il.

— Un autre *party*? Personne ne viendra! Et la police ne le permettra pas.

— Pas un *party* comme ça, tête de linotte. Une petite fête intime, juste entre nous... et le meurtrier, explique Daniel.

— Je ne comprends pas. Quand? Et où?

— Maintenant. En bas, à la piscine, dit-il en hochant la tête vers l'eau sombre luisant dans le clair de lune, sous la fenêtre.

La surface opaque est parfaitement immobile. L'odeur du jasmin, des orchidées et des autres plantes leur parvient à travers les lattes ouvertes du toit.

Stéphanie est prête à tout pour attraper le meurtrier. Elle pousse un soupir de soulagement en pensant que ses parents se sont absentés pour la nuit. Daniel et elle se faufilent jusque dans la cuisine et rassemblent toutes les croustilles, trempettes et boîtes de boisson gazeuse qu'ils peuvent trouver.

— Attends un instant. Nous devrions peut-être jeter le Coke. Il a été drogué, tu te souviens?

— Ça n'a pas d'importance. Ce ne sont que des accessoires. En réalité, nous n'allons rien boire.

Stéphanie n'insiste pas. Mais ce *party* lui semble le plus étrange de tous.

Daniel tenant à ce qu'il y ait de la musique, ils vont chercher le lecteur de disques compacts au salon et le glissent dans un sac d'épicerie.

— Quelle musique veux-tu? demande Stéphanie en passant les disques en revue et en choisissant des albums de musique western, rock et quelques vieux disques des Beatles et d'Elvis.

— Le plus bruyant sera le mieux, dit Daniel en haussant les épaules. Après tout, nous devons faire savoir au meurtrier que nous organisons un *party* et qu'il y est invité.

Stéphanie se souvient où sa mère garde les clés de l'enceinte vitrée. Ils se dirigent en trébuchant vers la piscine, déposent leur chargement près du grand bassin et reviennent chercher le reste.

— Où tes parents rangent-ils les chaises et les parasols ? lui demande Daniel.

Depuis que la police a ordonné la fermeture de l'auberge, ses parents ont entreposé les meubles et accessoires de piscine.

— Pourquoi en aurions-nous besoin ? Nous ne serons que trois, ne l'oublie pas.

— Nous voulons attirer l'attention du meurtrier, n'est-ce pas ?

— D'accord, mais nous n'avons pas besoin de parasols. Le soleil ne se lèvera pas avant plusieurs heures.

— Je ne sais pas. Je crois qu'il se passera bien des choses cette nuit avant que tout ne soit fini.

Stéphanie conduit Daniel vers la remise, à l'arrière de l'enceinte. Ils en sortent des tables, des parasols et quelques chaises. Ils installent ensuite le lecteur de disques et disposent les rafraîchissements sur une table.

— Un *party* n'est pas complet sans lumières qui clignotent au rythme de la musique, dit Daniel. Je vais les chercher. Essaie de trouver la caméra vidéo. Nous devons nous assurer d'avoir des preuves. La police trouvera ça très intéressant.

Stéphanie retourne vivement dans le salon et ouvre le placard mural au-dessus de la télévision. Une perruque, une robe longue, des mouchoirs jaunis aux initiales C. W. brodées au fil d'or et même un pot de peinture rouge sang s'en échappent. Le placard renferme même un magnétophone. Stéphanie perd toute notion du temps en écoutant l'enregistrement. Des pleurs de femme. Ceux qu'elle a si souvent entendus la nuit, certaine qu'ils étaient le fruit de son imagination.

« Des fantômes ! Oui, bien sûr ! »

Hors d'elle, Stéphanie fourre le tout dans un sac pour le montrer à Daniel. Elle remarque alors un contenant caché tout au fond du placard. Elle en soulève le couvercle. Le bocal contient de la poudre. Est-ce ça qu'on a versé dans son soda ?

Qui, à part Isabelle, peut avoir fait ça ? Agnès, Vanessa ou Sophie ? Qui d'autre pouvait entrer en tout temps dans la maison ? Elle s'apprête à appeler Daniel lorsqu'elle entends des pas descendre rapidement l'escalier.

— Stéphanie ! Où es-tu ? fait une voix de fille.

Plus personne ne se moquera d'elle de

cette façon! Elle traverse la réception et va jusqu'à la porte d'entrée. Des gens la poursuivent et l'appellent : « Stéphanie, attends! Nous devons te parler! ». Elle jette un regard par-dessus son épaule et se rend compte qu'Isabelle, Agnès, Vanessa et Sophie courent après elle, toutes en chemise de nuit.

Elle va leur montrer! Elle s'échappe par une porte latérale dès que les autres la croient sortie par-derrière. Elle les entend courir dans le jardin, la cherchant dans la mauvaise direction. Elle ne se soucie pas de leurs cris. Elle ne se laissera plus prendre au piège.

Stéphanie se précipite vers la piscine où Daniel installe déjà les lumières.

— Daniel! Regarde ce que j'ai trouvé dans la maison. C'est Isabelle, Agnès, Vanessa et Sophie! Ce sont elles qui se déguisaient et prétendaient me traquer. Je leur ai faussé compagnie.

— Bravo! dit Daniel en descendant de l'échelle. Moi aussi, j'ai quelque chose à te montrer.

Tout est installé et allumé. Le filtre de la piscine fonctionne. Elle peut entendre le bruit que fait l'eau aspirée puis rejetée à une température idéale de vingt-six degrés. L'eau s'écoule de nouveau sur le toboggan avant d'atteindre la surface sombre et de résonner dans la nuit silencieuse.

— Prête ? lui demande Daniel.

— Oui, je crois.

Il actionne un interrupteur et les lettres C. W. luisent au fond de la piscine.

C. W. Charlotte Wattier. Exactement comme dans l'histoire qu'ils ont lue, là-haut.

— Il s'agissait donc d'un jeu de lumière, dit-elle. Ce n'était pas une illusion. Pourquoi crois-tu que le capitaine Wattier a fait installer ces lumières ? Ça devait coûter une fortune à cette époque.

— Il était très riche.

Daniel attache un bracelet doré à breloques autour de son poignet. Les breloques paraissent raffinées et très, très anciennes. L'une d'elles représente une croix espagnole, une autre ressemble à une couronne royale. Une autre encore porte, gravé, quelque chose qu'elle ne peut pas lire. C'est de l'espagnol. Elle regarde Daniel, absorbé par l'installation du lecteur de disques.

— Pourquoi ce bracelet ?

— Un *party* n'en est pas un sans quelques bijoux fantaisie, répond-il sans la regarder.

Elle s'apprête à lui demander où il se l'est procuré, mais se mord la langue, préférant ne pas le savoir.

Une musique tonitruante vient déchirer le silence de la nuit. L'air lui-même semble vibrer au rythme du son. Les feuilles des camélias et des gardénias se mettent à trembler. Stéphanie se bouche les oreilles.

Philippe fait soudain irruption dans l'enceinte de la piscine.

— Que se passe-t-il ici ? demande-t-il en les regardant, tour à tour.

Daniel se contente de lui tendre un verre de Coke.

— Bienvenu au *party*, vieux. Nous t'attendions.

Philippe lance violemment le Coke sur les tuiles de marbre noir. Il attrape Stéphanie par le bras et l'entraîne vers la porte.

— Je t'ai dit que je ne voulais pas te voir avec lui. On ne sait jamais ce qu'il peut faire.

— J'ai cassé, tu t'en souviens ? dit-elle en libérant son bras.

— Je me soucie seulement de ton bien-être. Et tu viens avec moi !

— Ah oui ? dit Daniel en braquant une arme sur eux.

Stéphanie est si choquée qu'elle ne peut parler. Elle agrippe le t-shirt de Philippe et s'accroche à lui. Ainsi, c'était bien Daniel ! Philippe avait raison. La police avait raison. Elle a été stupide de l'écouter et de préparer cette comédie nocturne. À cause d'elle, Philippe est impliqué, lui aussi. Ils vont se faire tuer tous les deux.

— Tu as mordu à l'hameçon du *party*,

n'est-ce pas, Philippe ? raille Daniel. Tu t'es précipité pour découvrir ce que signifiait tout ce bruit. En fait, je ne serais pas surpris que tu aies sillonné cette rue chaque nuit. Tu veux la maison pour toi tout seul, n'est-ce pas ?

— Tu es complètement fou ! dit Philippe, le visage grimaçant.

— Tu as essayé de faire fuir tout le monde pour chercher l'or tranquillement, continue Daniel en crispant son doigt sur la gâchette. Mais, vois-tu, même s'il n'y avait plus âme qui vive dans cette maison, tu n'aurais jamais trouvé ce que tu cherches. Tu n'as jamais trouvé la carte au trésor.

Daniel tire de sa poche un vieux bout de papier jauni et froissé et le secoue sous le nez de Philippe. Le papier est si vieux qu'il s'effrite entre ses doigts. Mais on y voit clairement le domaine, l'enceinte de la piscine et le jardin. Une étoile est dessinée sur la piscine.

Philippe tend vivement le bras vers la carte, ignorant l'arme de Daniel. Mais ce dernier l'évite d'un bond et cache le papier derrière son dos.

L'expression de Philippe a changé. Il semble concentré, absorbé. Ses yeux sont exorbités. Il a même du mal à respirer. Il est totalement différent. Une personne qu'elle ne connaît pas.

— Où as-tu trouvé ça ? demande-t-il en

tendant la main vers la carte comme si l'arme n'avait aucune importance. J'ai cherché partout.

— Tu as oublié de regarder dans la poupée. C'est là que j'ai trouvé la dernière lettre de Charlotte Wattier et la carte. Tu sais ? Les initiales C. W. ? Elle ne voulait pas qu'une personne comme toi mette la main dessus.

Mais que se passe-t-il ? Daniel se moque-t-il de Philippe pour l'amener à se trahir ? Ce dernier paraît coincé. Il fixe d'abord Daniel, puis Stéphanie. Il essaie de trouver un bon moyen de fuir.

— Mais tu n'auras jamais l'or, Philippe. Non, parce que je l'ai trouvé le premier ! se vante Daniel. Je vais m'assurer que tu ne mettes jamais la main dessus. Regarde !

Daniel actionne l'interrupteur et fait clignoter les lettres C. W. au fond de la piscine.

— L'or est dans la piscine, pauvre idiot !

— Je n'arrive pas à y croire, dit Philippe.

Daniel se baisse et casse une tuile noire qui semble avoir déjà été descellée. L'or étincelle sous leurs yeux à travers l'eau brillamment éclairée de la piscine. Trésor caché depuis des décennies. Les parois de la piscine sont entièrement composées de lingots d'or, de bijoux et autres trésors.

Frustré, Philippe serre et desserre les poings. Il fait les cent pas comme un animal en cage et fixe la piscine, furieux, comme s'il pouvait arracher chaque tuile noire à mains nues.

— Tu as vraiment fait chou blanc! crie Daniel pour couvrir la musique. La piscine vaut des millions de dollars. Le trésor est enfoui ici, dans la cour de Stéphanie.

Le visage de Philippe reflète la haine. Il se précipite vers l'arme de Daniel, qui l'évite d'un bond de côté. Philippe glisse et plonge, tête la première, dans le grand bassin.

— Je sortirais de là si j'étais toi, crie Daniel à un Philippe crachotant et jurant.

Il craque une allumette et enflamme une amorce.

— Tu ne toucheras pas le moindre lingot. La piscine est bardée de dynamite. Tout va exploser d'ici cinq minutes. Et les policiers seront là en moins de deux. Ils emporteront tout cet or — du moins, ce qu'il en restera.

Stéphanie remarque un bâton de dynamite coincé dans le filtre. La mèche brûle et raccourcit.

— Daniel! Que fais-tu? hurle-t-elle.

Ses préparatifs pour ce *party* ont été beaucoup plus élaborés qu'elle ne l'avait cru. Elle craint que tout le monde ne soit devenu fou.

Philippe sort de l'eau à la force de ses bras puissants, se hisse sur le pourtour et s'ébroue. Il passe sa main dans ses cheveux blonds, trempés. Puis, sans perdre une seconde, il bondit sur Stéphanie. Il la saisit par la taille et l'attire contre lui.

Un hurlement monte du plus profond de sa poitrine. Elle sent la pointe d'un couteau sur sa gorge.

— Daniel! hurle-t-elle. Aide-moi! Daniel!

Le couteau s'enfonce un peu plus. Un filet de sang coule sur son cou.

Philippe la serre si fort contre lui qu'il lui fait mal.

— Je ne laisserai aucun flic me coincer et me coller quatre meurtres sur le dos. Tu vas m'aider, ma jolie. Ils n'oseront pas me toucher tant et aussi longtemps que je te tiendrai.

Il ne reste que quelques minutes avant que l'enceinte de la piscine ne vole en éclats. Elle perçoit le grésillement de la mèche qui continue de se consumer.

— Lâche-la! crie Daniel.

Il a la gorge serrée. Avec ce couteau sur sa gorge, il n'ose pas avancer vers elle.

Philippe tire Stéphanie à l'extérieur de l'enceinte de la piscine. Elle cligne frénétiquement des yeux vers Daniel jusqu'à ce que Philippe tourne un coin et que l'obscurité de la nuit se referme sur eux.

Il lui fait traverser le jardin en courant. Sa fourgonnette est stationnée le long de la rue. Il la jette sur le siège du passager, grimpe à sa suite et verrouille toutes les portes en actionnant le bouton de fermeture du côté du conducteur. Elle ne peut pas s'échapper.

À l'instant où il dégage le véhicule et passe les vitesses pour s'élancer dans la rue, Stéphanie entend une explosion assourdissante. L'enceinte vitrée disparaît. Un gigantesque nuage de fumée gris-blanc s'élève vers les étoiles et s'étend à tel point qu'elle ne voit plus la maison ni même la tour.

« Daniel, Daniel ! Est-ce que tu vas bien ? As-tu réussi à te mettre à l'abri ? »

Puis, après une infime pause, des débris de ciment, de plantes et de minuscules éclats d'or retombent en pluie sur le domaine et jusque dans la rue. Un gros morceau de ciment vient s'écraser sur le pare-brise de Philippe, évitant de peu Stéphanie. Elle protège son visage de ses mains. Philippe jure et, lorsqu'elle regarde de nouveau, elle voit que le pare-brise est troué et étoilé du côté du passager. Le tapis du véhicule est couvert de particules d'or et de ciment.

Conduisant d'une seule main, Philippe se penche et essaie de récupérer des éclats d'or qu'il fourre dans sa poche. Le métal brillant a tant d'attrait à ses yeux qu'il ne se soucie pas de foncer dans un arbre ni de faire une embardée. Il a coincé le couteau entre ses dents.

Les sirènes des voitures de police se font entendre au loin. Ils se dirigent en effet dans la bonne direction, mais pas assez vite.

Tout ça ressemble tellement à un cauchemar qu'elle n'arrive pas à y croire. Elle frictionne ses bras pour se réconforter, faisant cliqueter les breloques de son bracelet doré. Elle reste figée. Elle baisse lentement son bras vers ses genoux, osant à peine respirer, et couvre le bracelet de son autre main. Elle voudrait l'enlever et le mettre dans sa poche ou même le jeter par la vitre, mais le moindre mouvement risque d'attirer l'attention de Philippe.

Oh! Pourquoi Daniel a-t-il attaché ce bracelet à son poignet? Faisait-il partie de son plan parti en fumée? Stéphanie n'arrive même pas à se l'imaginer. Mais elle n'incitera pas Philippe à vouloir aussi s'emparer de ce bijou. Dans sa hâte, il serait capable de lui couper la main.

— J'ai demandé à Thierry de me suivre pendant que je faisais ma ronde, cette nuit. Je me doutais que cet idiot de Daniel mijotait quelque chose. Thierry a dû filer dès que cette piscine a explosé. Il sait quoi faire.

Bien sûr! Qu'est-ce qu'elle a pu être stupide! Philippe n'a pas agi seul. Ses amis des

Services récréatifs Plif-Plaf ont aussi un intérêt dans cette chasse au trésor. Philippe leur a parlé de ses plans, leur a proposé une part du butin et, elle s'en doute maintenant, ils ont profité des cours de natation pour fouiller en douce le domaine. Ce sont eux qui se sont faufilés la nuit dans les couloirs, affublés tour à tour d'une perruque et d'une robe; eux qui ont fouillé les tiroirs de sa commode et qui ont déraciné les plantes tout autour de l'auberge.

Pas étonnant qu'elle se soit sentie si mal à l'aise en leur compagnie cet autre soir, sur la plage. Quelque chose au plus profond de son subconscient s'était inquiété de partager un repas et un feu de camp avec un groupe de meurtriers assoiffés de sang.

— Comment sais-tu que ton copain n'a pas tout simplement filé? lui demande Stéphanie, les ongles enfoncés dans son siège.

— On a préparé un plan au cas où notre couverture tomberait, grogne-t-il. Thierry sait qu'il doit passer le message. D'ici la fin de la nuit, on sera à bord du bateau, en route vers une petite île déserte au large de la côte.

— On?

— Tu représentes mon billet pour la liberté, fait-il en lui donnant une tape sur le genou. Ce n'est pas exactement ce à quoi je pensais lorsque je t'ai parlé de mes nouvelles perspectives d'emploi et de notre relation qui pourrait devenir sérieuse. Mais Daniel a tout gâché.

Stéphanie lance des regards désespérés autour d'elle. Il doit bien exister un moyen de s'enfuir.

— Tu ne serais pas capable de me tuer, n'est-ce pas ? le supplie-t-elle.

Après tout, ils sortent ensemble depuis un certain temps. Elle l'a même laissé l'embrasser. Comment quelqu'un peut-il jouer une telle comédie ?

Il lui lance un regard sauvage. Il est facile de comprendre qu'il est prêt à tout.

— Détrompe-toi, ma belle, dit-il en brandissant son couteau.

Elle se glisse le plus loin possible sur le siège, tout contre la portière qui refuse de s'ouvrir.

— Tu... tu as tué ces quatre filles ?

— Elles gênaient nos plans.

— Mais en quoi ?

Elle n'en croit pas ses oreilles. Comment peut-on parler de meurtre d'un ton si désinvolte ?

— Elles portaient ces bijoux en or de la bijouterie *Le Coffre aux trésors*. Tu sais, cette boutique censée vendre des objets retrouvés dans les épaves. Ces bijoux n'étaient que de la pacotille. Chers, mais faux ! On ne pouvait pas les laisser faire. Sinon, personne n'aurait apprécié les articles du véritable trésor que nous aurions vendus.

— Et cette bague que tu m'as offerte? L'as-tu achetée à cette bijouterie?

— Je l'ai trouvée dans le jardin de l'Océane. Une nuit, pendant que je creusais avec Thierry. Elle m'a incité à continuer mes recherches. Ça, mon chou, c'était du solide.

La peur l'inonde tandis qu'elle étreint le bracelet en or que Daniel a fixé à son poignet. Philippe ne l'a pas vu; il n'a pas entendu les breloques cliqueter. Mais qu'arrivera-t-il lorsqu'il le remarquera? La tuera-t-il, elle aussi, pour la simple raison qu'elle porte une contrefaçon?

Elle humecte ses lèvres et essaie de rester calme.

— Tu les as tuées pour cette seule raison?

— Non, ma belle. On avait besoin de l'or pour le cacher sous ton matelas et faire porter les soupçons sur toi. Pour que ta famille quitte l'Océane. Comme ça n'a pas marché, on a laissé le bracelet sur cette horrible poupée. Ça aurait marché, si cet imbécile de Daniel n'avait pas décidé de jouer les chevaliers servants en prétendant avoir volé lui-même les bijoux.

Et elle avait cru que Daniel ne se souciait pas assez d'elle! Il est en fait le seul qui se soit mouillé et qui ait risqué sa propre vie pour elle. Et il n'a pas cessé de la mettre en garde contre Philippe !

— Et la nuit, lorsque j'entendais une femme pleurer et des pas dans la chambre de la tour ? C'était Isabelle ? Est-ce que Sophie t'a aidé ? Ou Agnès ? Ou Vanessa ?

— Isabelle et Sophie ? Agnès et Vanessa ? Ces emmerdeuses ? Jamais de la vie ! Elles n'arrêtaient pas de me poser des questions. Surtout ta copine Isabelle ! Elle est presque pire que Daniel !

Stéphanie est étonnée. Elle ne peut expliquer l'attitude sournoise d'Isabelle. Pourquoi a-t-elle lancé un couteau dans la piscine ? Pourquoi a-t-elle si soigneusement dessiné la poupée ? Et les victimes ?

Pourquoi Sophie, qui ne semblait pas apprécier Isabelle au début, est-elle devenue sa meilleure amie ? Pourquoi Sophie, Agnès et Vanessa ont-elles inventé toutes les excuses possibles pour rester à l'auberge ? Pourquoi les jeunes filles étaient-elles pratiquement collées à sa porte de chambre la nuit où elle a découvert le bracelet sur la poupée ?

— Tu veux dire que tu as tout fait toi-même ? demande Stéphanie.

— Moi, Thierry et les autres gars. Il n'était pas question de partager le butin avec quelqu'un d'autre. On aurait pu offrir une part à Daniel qui semblait en avoir après nous. Mais je sentais que je ne pouvais pas lui faire confiance. J'ai dit aux autres qu'on devrait s'en débarrasser, mais les flics le suivaient partout.

Philippe agrippe son volant jusqu'à faire blanchir ses jointures.

— C'est donc toi qui te déguisais et passais ces enregistrements?

— Bien sûr! Une fois droguée, tu ne distinguais plus les choses clairement. Un jour, j'ai failli droguer Isabelle. Je l'ai suivie à la piscine et j'ai versé un peu de poudre dans sa canette. Trop occupée à peindre, elle n'a rien remarqué et elle n'a plus bu après ça. Mais toi, oui. Comme je l'avais pensé. Je savais que tu viendrais t'en prendre à elle après les cours.

— Comment as-tu pu enregistrer la voix des filles après leur mort? demande-t-elle, la gorge serrée.

— Facile. Je les ai suivies pendant le *party* avant de les descendre.

— Et comment as-tu créé les zones froides?

— Encore plus simple! Je jouais tous les soirs avec l'air climatisé.

— Et tu as même effrayé cette petite fille?

— Évidemment. Il fallait les faire sortir de cette chambre pour jouer notre comédie.

— Tu déplaçais aussi la poupée ? C'est toi qui l'as remplie de peinture rouge ?

— Terrifiant, non ? fait-il avec un sourire démoniaque.

— Tu m'as appelée avec cette voix déformée pour me dire que les bijoux étaient sous mon matelas ?

— Thierry s'en est chargé. C'est un gars formidable.

— Qu'as-tu fait de la salière du traiteur pendant le *party* ?

— Je l'ai cachée dans mon maillot de bain.

— Comment as-tu pu faire disparaître Dorine, Estelle, Magalie et Rachel sans laisser la moindre trace ?

— Thierry attendait les trois premières lorsqu'elles sont entrées dans l'Océane. Il les a assommées l'une après l'autre et les a traînées dans sa fourgonnette. Pour Rachel, ça a été un peu plus compliqué. Thierry a éteint les lumières. Il s'est faufilé derrière elle, l'a assommée et l'a tirée hors de l'eau. Il est très rapide.

— Et ces empreintes que Daniel a trouvées dans la chambre de la tour, après le premier *party* ?

— Encore Thierry. On avait prévu la scène de la poupée ensanglantée cette nuit-là, mais Daniel nous en a empêchés. Il est monté si vite pour jeter un coup d'œil que Thierry a dû descendre par l'arbre et revenir plus tard.

— Tu as même essayé de me tuer avec l'aspirateur de piscine?

— Ça ne pouvait pas nuire de t'entortiller dedans pour te faire perdre les pédales.

— D'où t'est venue cette idée? Où as-tu entendu parler du trésor et de la légende du fantôme?

— Encore Thierry. Il se promène beaucoup. Le propriétaire du *Coffre aux trésors* est un drôle de vieux bonhomme. Il a la langue bien pendue.

« Et c'est pour ça que tu es sorti avec moi, se dit-elle. Exactement comme dans l'histoire de Charlotte. Tu n'étais qu'un chercheur d'or. Toutes ces heures passées à l'Océane t'ont permis de rôder, de creuser dans le jardin et de fouiller les tiroirs. »

Ils s'arrêtent si soudainement que Stéphanie est projetée en avant et manque de heurter le pare-brise. Ils ont atteint la bande de plage déserte derrière les dunes, là où avait eu lieu le *party*, dans ce qui lui semble maintenant une autre vie.

— Bon! Sors de là, lui ordonne Philippe.

Comme elle ne bouge pas assez vite, il l'attrape par la main et la tire hors de la voiture. Il l'entraîne alors vers la grande dune.

— Tu vois ces herbes? Va t'y cacher et n'en bouge pas avant mon arrivée. Reste accroupie, compris?

Elle ne tient pas à discuter avec un fou armé d'un couteau. Elle court vers la dune et se jette par terre. Ce qu'elle voit ensuite lui paraît démentiel. Philippe est retourné à la voiture et la conduit sur la plage, jusque dans la mer. Elle pense un moment qu'il a l'intention de se suicider et qu'elle sera libre de marcher jusqu'en ville. Mais au moment où les vagues vont submerger le véhicule, il ouvre la portière et nage vers la rive.

Il se laisse tomber près d'elle, le souffle court. La fourgonnette se fait ballotter par les vagues qui ne tarderont pas à la rejeter sur le rivage.

— Pourquoi as-tu fait ça? lui demande-t-elle.

— Fausse piste. Ils croiront peut-être qu'on s'est tués. De toute façon, on n'a pas besoin de voiture là où on va.

Sa remarque ne présage rien de bon.

Philippe attend près d'elle, accroupi dans l'herbe. Il scrute la plage et la mer, s'attendant à voir arriver ses acolytes d'un instant à l'autre. Le temps s'écoule lentement. Au bout d'un moment, ne voyant toujours pas de bateau, Philippe se met à jurer tout bas, son couteau toujours à la main. Il ne cesse de l'enfoncer dans le sable, et Stéphanie ne peut détacher son regard de la lame effilée.

Ils perçoivent alors des sirènes. Le bruit leur parvient d'abord de loin et de façon indistincte. Mais il se rapproche de plus en plus, et il est clair maintenant que les voitures se dirigent vers la plage.

Stéphanie essaie de ne pas laisser paraître son espoir.

— Et merde ! fait Philippe.

Il plante son couteau dans le sable, se lève et lance un regard anxieux vers la route. Son couteau reste là, étincelant sous les premiers rayons du soleil.

Philippe s'accroupit de nouveau dans l'herbe, s'empare du couteau et le brandit devant Stéphanie.

— Ton Daniel m'a trahi, mais il n'est pas le seul. Il ne sait pas où je t'ai emmenée. C'est Thierry qui a vendu la mèche.

Stéphanie reste bouche bée. Cette possibilité ne l'a jamais effleurée, mais il doit avoir raison. Ils attendent depuis des heures. C'est presque le matin, et Daniel ne savait pas où les trouver. Il n'est pas venu au *party* sur la plage. Et les copains de Philippe semblent prêts à vendre leur propre mère. Ils ont dû témoigner contre lui.

— C'est pour ça que Thierry n'est pas venu comme il aurait dû le faire. Tu vas donc payer pour lui. Ouais! Tu vas payer pour eux tous! fait-il, les yeux brillants de malveillance.

Il la cloue brusquement sur le sol. Elle voudrait hurler, mais elle s'oblige à rester calme. Si elle panique et alarme encore plus Philippe, elle mourra.

Elle voit le couteau au-dessus d'elle et réussit à rouler sur le côté.

«RÉFLÉCHIS!»

Les breloques en or se mettent à cliqueter. C'est Daniel qui a fixé ce bracelet à son poignet. Il devait avoir une raison. Ses yeux essayaient désespérément de lui transmettre un message lorsque Philippe l'a enlevée. Elle a tout fait pour cacher ce bijou à Philippe, mais sa situation ne changera pas s'il le voit maintenant. Elle doit courir le risque et espérer que ce bracelet constitue la clé de cette affaire.

Stéphanie lève son bracelet devant Philippe. Cet or, qui semble avoir un tel pouvoir sur lui, la sauvera peut-être.

— Tiens. Prends-le et laisse-moi vivre. Il a beaucoup de valeur. Ce n'est pas une pâle imitation, dit-elle, faussement autoritaire et ne sachant pas de quoi elle parle.

L'important est de convaincre Philippe.

— Ce... serait dommage de le tacher de sang !

Philippe écarquille les yeux, bouche bée.

— Il est à toi, fait-elle.

Il laisse tomber le couteau et détache doucement le bracelet.

— C'est le trésor que j'ai tant cherché, celui du bateau naufragé, murmure-t-il d'une voix rauque et tremblante d'admiration.

Daniel savait ce qu'il faisait. Il avait sorti ce bracelet de sous les tuiles juste avant. C'est pour ça que l'une d'elles était descellée. La veille, aucune tuile ne bougeait.

Elle bondit sur ses pieds et court aussi vite que ses jambes lui permettent vers les gyrophares qui atteignent justement la plage.

— Reviens ici ! hurle Philippe.

Un gars aux cheveux noirs sort d'une voiture de police sans attendre qu'elle soit arrêtée.

— Stéphanie ! crie-t-il.

C'est Daniel. Ils courent l'un vers l'autre, Stéphanie essayant de se concentrer sur lui et non sur les pas qui la rattrapent.

— Arrêtez ou on tire ! crie un policier.

Deux coups de feu claquent. Les pas s'arrêtent subitement derrière elle. Philippe crie et s'effondre sur le sol. Stéphanie se jette en pleurant dans les bras de Daniel.

Sophie, Agnès, Vanessa et Isabelle arrivent soudain et se précipitent vers elle. Sa mère et son père sont là, eux aussi, parmi tous les autres.

Stéphanie regarde l'auto-patrouille. Thierry, assis à l'arrière, fume un cigare. Il lève les yeux et lui fait un signe de la main. Les amis de Philippe, menottés, ont un air menaçant. Elle se souvient des paroles de Thierry: «On se soucie les uns des autres.» Ça, il s'est si bien soucié d'eux qu'ils auront tous droit à la prison.

Une ambulance arrive. Philippe, qui tient toujours le bracelet, est soulevé et glissé sur une civière, à l'arrière du véhicule.

CHAPITRE 15

Par une chaude journée de l'été indien, Daniel et Stéphanie se retrouvent à la piscine récemment reconstruite. Les équipes chargées de la reconstruction sont enfin parties après des semaines passées à l'Océane. Les investisseurs ont insisté pour faire refaire la piscine. Elle est très importante pour l'auberge qui doit rouvrir ses portes le plus vite possible.

Cet après-midi là, Daniel et Stéphanie ont la piscine pour eux tout seuls.

— On jurerait qu'elle est toute neuve, non? dit Stéphanie, assise au bord du grand bain, les pieds dans l'eau.

Daniel plonge dans un grand éclaboussement, et elle se trouve trempée de la tête aux pieds, frissonnante. Sans l'enceinte vitrée, il ferait trop froid pour se baigner. L'eau est maintenue à une température idéale, mais l'automne est bel et bien arrivé.

— Elle est encore mieux qu'avant, dit Daniel en remontant à la surface et en faisant quelques brasses. Je suis heureux qu'ils se soient débarrassés des tuiles noires, de cette forme de cercueil et des initiales C. W. C'étaient de trop mauvais souvenirs.

— Oui. Les investisseurs ont jugé le marbre noir trop cher, même pour un établissement de cette catégorie. Elle ressemble maintenant à une piscine normale. Elle ne me fait plus peur.

Elle regarde l'eau étinceler sous le soleil. Elle est d'un bleu ordinaire.

— Elle ne vaut sans doute plus son pesant d'or, dit Daniel en nageant vers elle et en s'appuyant sur le bord.

Stéphanie frissonne au souvenir des photographes du *National Geographic* qui ont envahi le domaine dans les jours suivant l'explosion. De l'or était éparpillé dans les rues et les jardins voisins. Des équipes étaient parties dans toutes les directions pour récupérer ce qu'elles pouvaient.

Quelques bijoux et chandeliers, demeurés intacts, sont maintenant exposés au musée local. Le reste de l'or a été fondu pour constituer un fonds permanent pour l'Océane, dont les portes resteront toujours ouvertes.

Une foule de touristes fait des réservations. L'auberge affiche complet jusqu'au

215

premier de l'an. Plusieurs familles ont même réservé pour l'été suivant. Il y a tant de curieux désireux de découvrir où le célèbre trésor avait été enfoui que madame Jacquier a constitué une liste d'attente. C'est un miracle qu'ils aient la piscine pour eux tout seuls ce jour-là. Stéphanie se dit que ça n'arrivera plus très souvent.

— Tu étais persuadé que c'était Philippe, n'est-ce pas ? demande-t-elle. Tu t'acharnais tellement sur lui. Mais tu as pris un risque en l'attirant à la piscine et en faisant tout exploser.

— J'étais prêt à parier ma vie. Mais je suis désolé d'avoir mis la tienne en danger, dit Daniel en posant sa main sur celle de la jeune fille.

Stéphanie lui sourit. Daniel est tout ce qu'elle a toujours voulu et plus encore. Elle n'arrive pas à croire qu'elle ait pu être aussi aveugle et s'amouracher de Philippe.

— D'où t'est venue l'idée d'utiliser de la dynamite ?

— L'idée m'a frappé en lisant le manuscrit de Charlotte, dit-il en haussant les épaules. Mais je n'en avais pas. J'en ai trouvé dans la remise, derrière la piscine. À croire que quelqu'un partageait mes pensées. Tes parents avaient-ils l'intention de s'en servir ?

— Pas que je sache.

— Je suppose que ce n'est qu'une coïncidence alors.

Stéphanie pense à Charlotte et à son fantôme, puis rejette vivement cette idée.

— Pourquoi m'as-tu dit dans le boisé que ce n'était pas Philippe?

— Je ne voulais pas que tu lui en parles. C'était beaucoup trop dangereux.

— Tu aurais pu au moins te fier à moi à propos d'Isabelle!

— Je n'ai moi-même appris la vérité qu'à la toute fin. C'est incroyable. Elle nous a tous eus! Son accent britannique était si bien imité. Qui aurait cru qu'il s'agissait d'un agent infiltré et non d'Isabelle Carignan? Quelle machination! ajoute-t-il en secouant la tête.

— Le canular était plutôt élaboré pour la police, non? Lui faire tenir le rôle d'un investisseur nanti qui organisait de somptueux *partys* au nom du FIN DU FIN!

— Oui, mais elle devait pouvoir vivre à l'étage pour enquêter vingt-quatre heures sur vingt-quatre. Et tu avais raison. C'est elle qui a caché le micro et qui nous a envoyé les policiers dans le boisé.

— Qu'est-ce qui leur a mis la puce à l'oreille? Aux policiers, j'entends.

— C'est le propriétaire du *Coffre aux trésors*. Il a vu des ombres rôder autour de l'Océane bien avant votre arrivée. Je suppose qu'il a aussi raconté l'histoire du trésor à la police. Tout le monde a donc pensé qu'il risquait d'y avoir de gros problèmes.

— C'est le moins qu'on puisse dire!

— Isabelle t'exaspérait vraiment, n'est-ce pas? demande-t-il en souriant.

— Ça, oui! Ça explique les jumelles, je suppose. C'est aussi pourquoi elle a lancé l'arme du crime dans la piscine et laissé traîner tous ces croquis. Elle voulait que le meurtrier les trouve. Ça explique aussi pourquoi elle était toujours la première dans ma chambre quand quelque chose n'allait pas. Pas étonnant qu'elle ait eu de fausses cartes d'identité et qu'elle soit montée dans la voiture d'étrangers! Mais je n'arrivais pas à comprendre ce qui se passait. Je croyais qu'elle cherchait à me rendre folle!

— Ça devait être assez effrayant d'imaginer que Sophie, Agnès et Vanessa faisaient elles aussi partie du complot.

— C'était horrible! Elles avaient toutes accepté notre pacte. Nous devions garder les yeux ouverts et nous pensions qu'Isabelle préparait quelque chose. Et soudain, elles ont toutes changé de camp. Comment pouvais-je deviner que ce soir-là, à la piscine, Isabelle avait vendu la mèche et les avait convaincues de ma culpabilité. Personne ne m'a rien dit avant la fin.

— C'est de ma faute, dit Daniel. Tout le monde pensait que j'étais le meurtrier. On essayait de t'éloigner de moi.

— Toute cette confusion avait de quoi t'amuser.

Daniel sort de l'eau et vient s'asseoir près de Stéphanie, au bord de la piscine. Il la prend dans ses bras.

— Au moins, Philippe ne pourra plus te tenir entre ses griffes. C'est la détention à vie pour lui et ses complices.

— J'aurai ma part de travail, ici, dit-elle en regardant le domaine à travers l'enceinte vitrée.

Des jardiniers viennent chaque jour et ont planté de nouvelles haies. Les courts de tennis et le bain-tourbillons ont eux aussi été restaurés après l'explosion.

— Est-ce vrai ce que j'ai entendu dire à propos de ton père? lui demande Daniel.

— Oui. Le propriétaire et les investisseurs lui ont proposé un emploi. Il continuera à voyager, mais il le fera pour la chaîne hôtelière Carignan. Son bureau sera basé à l'Océane.

— Tes parents sont revenus ensemble pour de bon, alors?

— Ils s'accordent une nouvelle chance.

— Et toi et moi? demande Daniel en se penchant vers son oreille. Sommes-nous aussi réunis pour de bon?

Son cœur bat la chamade de sentir Daniel si proche. Elle sent un frisson parcourir son dos, puis une douce chaleur l'envahir. Elle l'a quitté l'été dernier en pensant qu'il la tenait pour acquise. Mais il se montre plus prévenant ces jours-ci. Il l'appelle sans cesse et l'accompagne au collège. Ils sortent plusieurs fois par semaine. Il l'accompagne même entre les cours, comme s'il craignait encore que quelque chose ne lui arrive. Tout ce cauchemar lui a peut-être fait prendre conscience de ses sentiments pour elle.

— Eh bien... je ne sais pas, le taquine-t-elle.

— Ah bon ?

Il saute dans l'eau et commence à la tirer par le pied.

— Voyons de quelle manière te convaincre !

Stéphanie pousse un cri de joie tandis qu'il l'entraîne à sa suite dans la piscine. Elle tombe près de lui dans un grand éclaboussement. Sans lui laisser le temps de reprendre son souffle, il l'entoure de ses bras et l'embrasse sous l'eau. Ils remontent peu à peu à la surface.

Se sentant prise d'un tout autre genre de frisson, Stéphanie s'écarte. Elle a la nette impression que quelqu'un les observe. Elle lève les yeux vers la fenêtre de la chambre dans la tour, qu'elle occupe toujours en attendant l'arrivée de nouveaux clients. La poupée est assise sur le balcon, récemment rénové lui aussi.

— Qu'y a-t-il, lui demande Daniel.

— Je... je ne sais pas. Daniel, as-tu déjà eu l'impression que Charlotte hantait réellement la maison ? Philippe et ses amis m'ont joué des tours, mais il y a peut-être des fois où ce n'était pas eux.

Stéphanie repense à la lettre que lui a envoyée la voyante. Elle la félicite d'avoir rempli avec succès son rôle de médium auprès du fantôme de Charlotte. La vieille dame a écrit : *L'univers est beaucoup plus vaste que nous ne croyons.*

— C'est fou ! dit Daniel en riant.

— J'ai simplement eu l'impression que la poupée me regardait. Et j'ai fait des rêves.

— De quel genre ?

Daniel l'entraîne vers la partie peu profonde, s'installe sur les marches et la fait s'asseoir sur ses genoux. Elle le sent d'humeur à plaisanter.

— Je t'assure ! La nuit dernière, j'ai rêvé que j'entendais des pas dans l'escalier. La femme est revenue s'asseoir au bord de mon lit. Je me suis pincée, mais impossible de me réveiller. Elle s'est arrêtée de pleurer, a déposé son mouchoir et m'a souri. Ensuite, elle a disparu.

— Qui sait? dit Daniel en haussant les épaules. Quand on y pense, Charlotte Wattier a gagné gros à la fin.

— Tu as raison! dit-elle, étonnée.

Elle comprend soudain ce que signifie son rêve. Charlotte a pris Philippe au piège comme elle l'avait fait avec son mari, des décennies plus tôt. Elle avait poussé son mari dans la folie et dans la mort à cause de sa soif d'or. Elle sait maintenant que Philippe est enfermé pour la vie à cause de cette même soif. Elle a tenu sa promesse. Personne ne mettra la main sur ce trésor. Sans doute a-t-elle beaucoup souffert et connu une fin prématurée. Mais elle s'est vengée à deux reprises.

— Je crois que Charlotte ne viendra plus nous déranger, dit Stéphanie.

Elle lève les yeux vers la fenêtre. L'expression de la poupée a changé.

Elle sourit.

Dans la même collection

ACHEVÉ D'IMPRIMER
EN SEPTEMBRE 1997
SUR LES PRESSES DE
PAYETTE & SIMMS INC.

À SAINT-LAMBERT   (Québec)